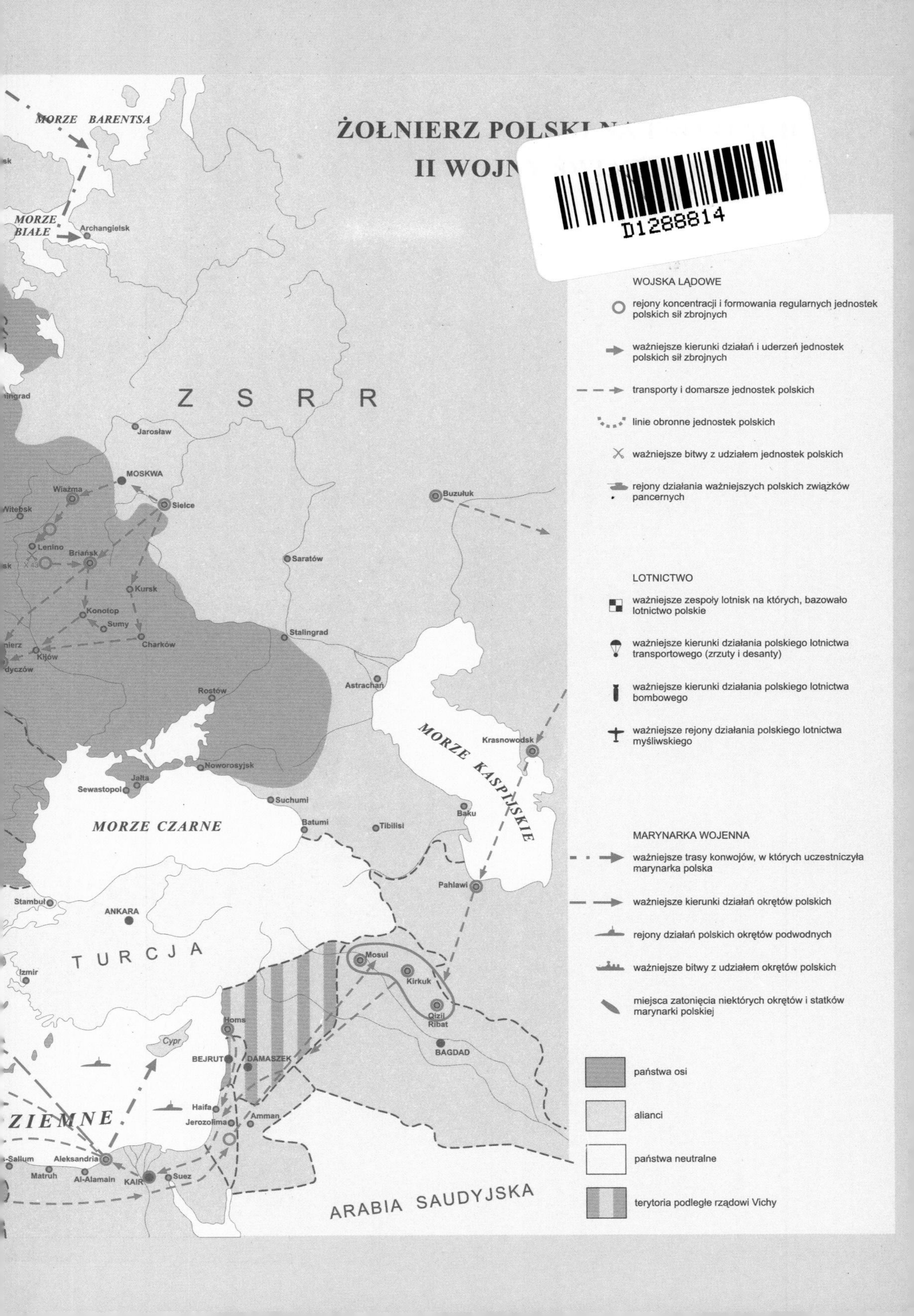
ŻOŁNIERZ POLSKI NA
II WOJN
D1288814
MORZE BARENTSA
MORZE BIAŁE
Archangielsk
Z S R R
Jarosław
MOSKWA
Wiaźma
Witebsk
Sielce
Lenino
Briańsk
Kursk
Konotop
Sumy
Charków
Kijów
Saratów
Stalingrad
Buzułuk
Astrachań
Rostów
Noworosyjsk
Jałta
Sewastopol
Suchumi
Batumi
Tibilisi
Baku
Krasnowodsk
MORZE KASPIJSKIE
MORZE CZARNE
Stambuł
ANKARA
TURCJA
Izmir
Pahlawi
Mosul
Kirkuk
Qizil Ribat
BAGDAD
Homs
BEJRUT
DAMASZEK
Cypr
Haifa
Jerozolima
Amman
ZIEMNE
Aleksandria
Matruh
Al-Alamain
KAIR
Suez
ARABIA SAUDYJSKA
WOJSKA LĄDOWE
rejony koncentracji i formowania regularnych jednostek polskich sił zbrojnych
ważniejsze kierunki działań i uderzeń jednostek polskich sił zbrojnych
transporty i domarsze jednostek polskich
linie obronne jednostek polskich
ważniejsze bitwy z udziałem jednostek polskich
rejony działania ważniejszych polskich związków pancernych
LOTNICTWO
ważniejsze zespoły lotnisk na których, bazowało lotnictwo polskie
ważniejsze kierunki działania polskiego lotnictwa transportowego (zrzuty i desanty)
ważniejsze kierunki działania polskiego lotnictwa bombowego
ważniejsze rejony działania polskiego lotnictwa myśliwskiego
MARYNARKA WOJENNA
ważniejsze trasy konwojów, w których uczestniczyła marynarka polska
ważniejsze kierunki działań okrętów polskich
rejony działań polskich okrętów podwodnych
ważniejsze bitwy z udziałem okrętów polskich
miejsca zatonięcia niektórych okrętów i statków marynarki polskiej
państwa osi
alianci
państwa neutralne
terytoria podległe rządowi Vichy

Zespół autorski:
Bogusław Brodecki
Zbigniew Wawer *(Rozdział II)*
Tadeusz Kondracki *(Podrozdziały o marynarce wojennej i lotnictwie w Rozdziale II)*

Publikacja wydana z inspiracji i przy wsparciu finansowym Ministerstwa Obrony Narodowej

POLACY
NA FRONTACH II WOJNY ŚWIATOWEJ

THE POLES
ON THE BATTLEFRONTS OF THE SECOND WORLD WAR

BELLONA

Warszawa 2005

Aleksander Kwaśniewski

Prezydent RP
– Zwierzchnik Sił Zbrojnych RP

The President of the Republic of Poland and Commander-in-Chief of the Polish Armed Forces

Należymy do narodów ciężko doświadczonych przez historię. Jak mówi wyśmienity znawca naszych dziejów, brytyjski historyk Norman Davies: „Polacy mają słuszne powody, aby długo pamiętać". Byłoby jednak niedobrze, gdyby przeszłość była dla nas tylko przygniatającym bagażem. Chcemy z niej bowiem czerpać nie słabość, lecz siłę. Dlatego nasze dzieje powinny być przede wszystkim lekcją – taką, którą warto podzielić się także z innymi.

Druga wojna światowa rozpoczęła się 1 września 1939 roku wraz z napaścią hitlerowskich Niemiec na Polskę. Staliśmy się ofiarą agresji, ponieważ nie chcieliśmy skapitulować przed złem. Są chwile ostatecznych wyzwań, gdy trzeba walczyć w obronie międzynarodowego ładu i sprawiedliwości; „za wolność naszą i waszą". Nikt w Polsce nie tęsknił za wojną – chcieliśmy żyć w pokoju, tak jak wszystkie narody demokratycznej Europy. Jednak pokój, zbudowany na polityce oportunizmu i ustępstw, zawsze okazuje się kruchy. Polska była pierwszym krajem, który chwycił za broń w starciu z nazistowskim imperium.

Walczyliśmy wytrwale. Od pierwszego do ostatniego dnia wojny. Polscy żołnierze uczestniczyli w zmaganiach na wielu frontach. Na ojczystej ziemi i na obczyźnie, na Zachodzie i Wschodzie.

Najpierw – gdy Polska broniła się w osamotnieniu przed hitlerowską napaścią we wrześniu 1939 roku. Mimo heroizmu armii i całego narodu, ulegliśmy przewadze wroga. Jednocześnie, 17 września, zadany został Polsce cios od wschodu. Realizując postanowienia paktu Ribbentrop – Mołotow, porozumienia zawartego przez hitlerowski i stalinowski totalitaryzm, na nasze terytorium wkroczyły wojska ZSRR. Polska została rozdarta przez agresorów, znalazła się pod podwójną okupacją. Ale Polacy nie złożyli broni.

Na emigracji na Zachodzie działały polskie władze, zaświadczając o nieprzerwanym istnieniu naszej państwowości i niepodległości. Polskie formacje wojskowe stanęły u boku aliantów. Walczyliśmy w obronie Francji. Walczyliśmy pod Narwikiem, broniąc napadniętej przez hitlerowców Norwegii. W powietrznej bitwie o Anglię. Na wodach Atlantyku. Na piaskach Afryki – w obronie oblężonego

FOREWORD BY THE PRESIDENT OF THE REPUBLIC OF POLAND

We are one of those nations that have suffered heavily at the hands of history. The British historian Norman Davies, an outstanding authority on our country's past, has noted that the Poles have good reason to have long memories. Yet it would be no good thing for us to see the past solely as a crushing burden on the present. Our aim is for it to be not just a source of weakness, but a source of strength as well. For that reason, our history should principally serve us as a lesson, that is also worth sharing with others.

World War Two began on September 1, 1939, with the invasion of Poland by Nazi Germany. We fell victim to aggression, since we refused to bow down to evil. There are times when the ultimate challenge is posed, and when a battle must be waged to defend the international order and justice, "for our freedom and yours". No one in Poland yearned for war - like all the nations of democratic Europe, we wanted to live in peace. However, when peace is built on a policy of opportunism and concessions, it always proves fragile. Poland was the first country to take up arms in the fight against the Nazi empire.

We persevered in that fight. From the first day of war to the last. Polish soldiers saw combat on many fronts. On their own soil and abroad, in the West and in the East.

At the outset, in September 1939, Poland defended itself alone against the Nazi onslaught. Despite the heroism of the Polish Army and the entire nation, we were forced to succumb to the superior might of the enemy. At the same time, on September 17, Poland was dealt a blow from the East. In performance of the Molotov-Ribbentrop Pact, an agreement between the Naziand Stalinist totalitarian regimes, Soviet forces marched into our country. Ripped apart by its invaders, Poland found itself under dual occupation. Yet the Poles did not lay down their arms.

Poland's émigré national authorities continued to work in the West, bearing witness to our uninterrupted statehood and independence. Polish forces stood by the side of the Allies. We fought in defence of France. We fought at Narvik, defending Norway after the Nazi attack. We fought in the air, in the Battle of Britain. We fought on the seas of the Atlantic. We fought on the sands of North Africa, as defenders in the siege of Tobruk. During the Italian campaign, Polish troops captured Monte Cassino and liberated Bologna. In the battles on the Western Front, opened up by the Allied landings in Normandy, Polish forces fought at Falaise and at Arnhem, bringing freedom to the peoples of France, Belgium and Holland. Other Polish soldiers blazed a trail of combat along the Eastern Front, from battles against Nazi forces around the River Dnieper in October 1943 right up to their involvement in storming Berlin in the final days of the War.

The struggle was also carried on in occupied Poland. No political force in Poland defiled itself by collaborating with the Nazis. The Polish Underground State was unique throughout occupied Europe. This was an enormous clandestine machine that included an extensive civil apparatus with administrative and judicial institutions and secret schools, and also a resistance army which at its peak, in mid-1944, had 650 thousand soldiers under its command. The strength and patriotism of the Polish Home Army were most eloquently illustrated by the magnificent deed that was the Warsaw Uprising.

The resistance movement demonstrated that Poland's hunger for freedom could not be suppressed. The Nazis may have occupied Poland's soil, yet they could not conquer the minds of its people. They resorted to ruthless and bloody repression, primarily targeting the defenceless civilian population. Occupied Poland was the scene of genocide on a scale hitherto unknown, symbolised by Auschwitz-Birkenau and the other death camps built here by the German Nazis. A particularly horrific fate awaited the Jews, yet the whole of Polish society suffered. During the War, six million Polish citizens perished, murdered at the hands of the occupying Nazis or killed in action.

It is for all of these reasons that those tragic times have left an indelible imprint on our collective memory. We are proud that Poland remained a member of the anti-Nazi coalition from the first day of the War to the last, and that we made a significant

Tobruku. W kampanii włoskiej, m.in. zdobywając Monte Cassino, wyzwalając Bolonię. W zmaganiach na zachodnim froncie, rozpoczętych alianckim desantem w Normandii – m.in. pod Falaise, pod Arnhem, niosąc wolność Francuzom, Belgom i Holendrom. Inni polscy żołnierze przebyli bojowy szlak na froncie wschodnim – poczynając od zmagań z oddziałami hitlerowskimi w okolicach Dniepru w październiku 1943 roku aż do udziału w szturmie na Berlin w ostatnich dniach wojny.

Walka trwała również w okupowanym kraju. Żadna z polskich sił politycznych nie zhańbiła się kolaboracją z hitlerowcami. Fenomenem na skalę okupowanej Europy było polskie Państwo Podziemne. Ta wielka machina konspiracyjna ogarniała rozbudowany aparat władzy cywilnej, z administracją, sądownictwem, tajnym nauczaniem, oraz siły zbrojne – w szczytowym momencie, w połowie 1944 r., skupiające w swych szeregach 650 tysięcy żołnierzy. O sile i patriotyzmie Armii Krajowej najdobitniej mówi wielki czyn Powstania Warszawskiego.

Ruch oporu pokazał, że polskiej tęsknoty za wolnością nie można ujarzmić. Hitlerowcy zajęli polskie ziemie, ale nie mogli zapanować nad polskimi umysłami. Sięgnęli po okrutne, krwawe represje, wymierzone przede wszystkim w bezbronną ludność cywilną. Okupowana Polska była miejscem nieznanego dotąd w historii ludobójstwa, którego symbolem stało się Auschwitz – Birkenau i inne obozy zagłady wybudowane tutaj przez niemieckich nazistów. Szczególnie przerażający los spotkał Żydów, ale cierpiało całe polskie społeczeństwo. W latach wojny, z rąk okupantów i w walce zbrojnej, zginęło sześć milionów polskich obywateli.

To wszystko sprawia, że tamten tragiczny czas na trwałe odcisnął się w naszej zbiorowej pamięci. Jesteśmy dumni, że od pierwszego do ostatniego dnia wojny Polska była nieprzerwanie uczestnikiem koalicji antyhitlerowskiej, że wnieśliśmy znaczący wkład we wspólne zwycięstwo. W końcowym okresie wojennych zmagań na wszystkich frontach walczyło łącznie sześćset tysięcy polskich żołnierzy – w dwóch armiach, trzech korpusach i kilkudziesięciu innych jednostkach. Po całej niemal Europie rozsiane są polskie mogiły – świadectwa męstwa, nieustępliwości i wierności dobrej sprawie.

Jednak upragniony koniec wojny zapamiętaliśmy jako wydarzenie wieloznaczne. Polacy odczuwali radość ze zwycięstwa, cieszyli się, że nadszedł kres wojennych cierpień – a zarazem przeżywali gorycz nowego zniewolenia, radzieckiej dominacji nad naszą częścią Europy. Decyzje wielkich mocarstw, podjęte na konferencjach w Jałcie i w Poczdamie, budowały nowy powojenny porządek, ale jednocześnie oznaczały dla Polski i naszych regionalnych sąsiadów utratę suwerenności. Europę przedzieliła „żelazna kurtyna", a my znaleźliśmy się po tej stronie, gdzie zapanował autorytaryzm.

Tak jak Polacy nie pogodzili się z wojenną okupacją swego kraju, tak też, przez prawie pół wieku, nie przestali się upominać o miejsce w rodzinie wolnych i demokratycznych narodów. Pokazał to wielki ruch „Solidarności". Pokazały przemiany w naszym kraju w 1989 roku, które dały początek fali wolności w całej Europie Środkowej i Wschodniej. Po upadku murów możliwe stało się zjednoczenie kontynentu. To znamienne, że sześćdziesiąta rocznica zakończenia drugiej wojny światowej, symbolizująca tragiczną przeszłość, zbiega się z pierwszą rocznicą naszego członkostwa w Unii Europejskiej – symbolizującą to, co jest tryumfem i nadzieją Europejczyków. Dzisiaj – właśnie dzisiaj! – widać, jak wielkie jest nasze zwycięstwo. Jak wiele uczyniliśmy w dziele pojednania i odbudowy zaufania między narodami naszego kontynentu.

Wspominając bolesną przeszłość, pamiętajmy zatem: niech doświadczenia z niej wyniesione łączą nas, a nie dzielą. Niech historyczna pamięć, którą winniśmy pielęgnować, nie stawia nas nigdy w konfrontacji, ale skłania do poszukiwania dróg jedności. Uczyńmy wszystko, aby zaświadczyć, że Europa dobrze wykorzystała lekcję historii. Wierzę, że pojednanie, otwartość i integracja już zawsze będą nas prowadzić po drogach XXI wieku.

contribution to our common victory. In the final stages of military operations, a total of six hundred thousand Polish troops were fighting in all theatres of war, in two separate armies, three other military corps, and dozens of other units. Polish graves are strewn throughout virtually all of Europe, testifying to Polish courage,tenacity and devotion to a just cause.

However, the end of the War, so keenly awaited, was an event we also remember for its ambivalent consequences. While the Poles felt the elation of victory and rejoiced that the sufferings of wartime were now over, they also tasted the bitterness of a new bondage as Soviet domination was imposed on our part of Europe. The decisions of the Great Powers at the Yalta and Potsdam conferences put in place a new postwar order, but at the same time spelt the loss of sovereignty for Poland and its neighbours in the region. An "Iron Curtain" descended to divide Europe.

Just as the Poles never accepted the wartime occupation of their country, so for almost half a century they never ceased to demand their rightful place within the family of free and democratic nations. This was evidenced by the great movement called Solidarity. It was evidenced by the changes that took place in our country in 1989, which touched off a wave of freedom that swept Central and Eastern Europe. When the walls came down, the unification of our continent became possible. It is significant that the sixtieth anniversary of the end of World War Two, symbolising our tragic past, coincides with the first anniversary of our membership in the European Union, symbolising the triumphs and hopes shared by Europeans. Today – precisely today! – the enormity of our victory can be seen. We can see how much we have done to bring about the reconciliation of the nations of our continent and to rebuild trust between them.

In recalling our painful past, let us therefore remember that the experiences we learn from it should unite us, not divide us. May our memory of history, which we should cultivate, never set us against each other in confrontation, but may it encourage us to seek the path to unity. Let us do everything in our power to prove that Europe has put the lessons of history to good use. I believe that reconciliation, open minds and a desire for integration will henceforth always be our guides along the paths of the 21st century.

Wojna obronna we wrześniu 1939 roku

The September 1939 Campaign

Przed agresją. Sytuacja polityczna i wojskowa

Wyniki konferencji monachijskiej, na której Anglia i Francja ugięły się przed żądaniami Hitlera i zezwoliły na ustępstwa terytorialne Czechosłowacji wobec Niemiec, oznaczały sygnał alarmowy dla państw Europy Środkowej. Wskazywały kierunek dalszej ekspansji terytorialnej Trzeciej Rzeszy. Hitler nie krył nienawiści wobec komunizmu i swe obłąkane ambicje terytorialne zamierzał realizować na Wschodzie. Aby jednak zmierzyć się ze Związkiem Radzieckim, musiał najpierw w jakiś sposób podporządkować sobie kraje dzielące Niemcy od tego kraju, największym z nich była Polska.

W 1934 roku kryptolodzy z Biura Szyfrów polskiego wywiadu poznali sekret budowy **Enigmy** *i skonstruowali jej odpowiednik odczytujący depesze*

In 1934 Cryptoanalysts of the Cipher Bureau of Polish Intelligence Service unravelled the secret of the **Enigma Machine** *and constructed its counterpart which could read coded messages*

Marszałek Edward Rydz-Śmigły, *legionista, następca Piłsudskiego, we wrześniu Naczelny Wódz Wojska Polskiego. W październiku 1941 roku powrócił z Węgier do Polski, w grudniu tego roku zmarł w Warszawie. Portret pędzla Stefana Norblina*

Marshal Rydz-Śmigły, *legionary, Piłsudski's successor, in September 1939 the Supreme Commander of the Polish Armed Forces. In October 1944 returned to Poland from Hungary only to die in Warsaw in December. Portrait painted by Stefan Norblin*

24 października 1938 r. minister spraw zagranicznych Niemiec Joachim v. Ribbentrop zwrócił się do władz polskich z propozycją nowego ułożenia stosunków polsko-niemieckich, której najważniejszym elementem był powrót Gdańska do Rzeszy i utworzenie eksterytorialnego korytarza (autostrada i linia kolejowa) przez Pomorze do Prus Wschodnich oraz przystąpienie do paktu antykominternowskiego.

Naciski Berlina na Polskę wzmogły się po zajęciu Czech przez wojska niemieckie w marcu 1939 r. Oznaczało to pogorszenie się sytuacji strategicznej Polski, której linie obronne uległy dalszemu wydłużeniu.

Hitler decyzję o zbrojnym rozprawieniu się z Polską podjął, gdy stało się dla niego jasne, że środkami nacisku politycznego nie sprowadzi jej do pozycji wasala i nie wymusi żądanych koncesji te-

Before the Attack. The Political and Military Situation

The outcome of the Munich conference alerted the states of the Eastern Europe. It was during that conference that Great Britain and France permitted Hitler to make territorial demands of Czechoslovakia. The Munich agreements also indicated the direction of the Third Reich's future territorial conquests. But to head east and deal with the hated Soviet Union Hitler first had to make the states of Eastern Europe, including Poland, subordinate to him.

Mundur oraz oporządzenie szeregowego piechoty

Uniform and kit of an infantry private

On October 24, 1938, German minister of foreign affairs Joachim von Ribbentrop suggested the Polish government to rearrange the Polish – German diplomatic relations. According to the German official the return of Gdansk to the Third Reich and the establishment of an exterritorial corridor including a highway and a railroad through Pomerania to Eastern Prussia were the most important issues. Ribbentrop also suggested to Poland signing the anticommunist pact.

The German pressure on Poland increased after March 1939, when the Third Reich annexed Czechia. Consequently, the Polish strategic position deteriorated as its defensive lines had lengthened.

The decision to deal with Poland militarily was made by Hitler only when he realized that by any political means Poland would not become his vassal and would not concede over any territorial issue. His decision meant the end of Third Reich's non-armed conquests. Poland took the risk of resisting Hitler as it believed in the help of France and Great Britain, its new ally. By March 31, 1939, even the British officials realized that any concessions to Hitler would only strengthen his position and offered military assistance to Poland in case of German invasion.

On the eve of war the international situation became even more complicated by Stalin, who after long negotiations with the Western Allies, on August 23, signed a peace treaty with Germany, the so-called Ribbentrop-Molotov pact. The pact included a top-secret protocol concerning German and Soviet areas of influence in Poland and the Baltic states.

The German Supreme Command's (OKH) war plan concerning Poland anticipated a concentric attack of the Army Group South from Silesia and the Army Group North from Pomerania and Eastern Prussia. These army groups were assigned to destroy the Polish Army on the west bank of the Vistula River. On August 22, Hitler ordered the attack on Poland to start on August 26, at dawn. However, due to

Odznaka 49 Huculskiego Pułku Strzelców. Nawiązywanie do tradycji kresowej, do Hucułów i do „rycerstwa spod stepowych stanic" stanowiło element patriotycznego wychowania żołnierzy w wojsku II Rzeczypospolitej

Badge of the 49th Huculski Rifle Regiment. The drawing on the borderland tradition to the inhabitants of the Huculszczyzna East Carpathian region, and to "the knighthood of borderland watch-towers" was an important element of patriotic education in the armed forces of the Second Republic of Poland

rytorialnych. Polska podjęła ryzyko stawienia oporu, ponieważ wierzyła w pomoc Francji i nowego sojusznika – Wielkiej Brytanii, która w końcu zrozumiała, że polityka ustępstw zachęca tylko Hitlera do dalszych żądań i 31 marca 1939 r. zapowiedziała udzielenie Polsce pomocy na wypadek zagrożenia jej niepodległości.

Sytuację międzynarodową w przededniu wybuchu wojny skomplikowała wolta Stalina, który po przewlekłych rokowaniach z aliantami błyskawicznie zawarł 23 sierpnia pakt o nieagresji z Niemcami (tzw. układ Ribbentrop–Mołotow). Dołączono do niego nieznany wówczas światu tajny protokół o podziale stref wpływów między Rosją i Niemcami w Polsce i krajach bałtyckich.

Opracowany przez niemieckie Naczelne Dowództwo Wojsk Lądowych (OKH) plan wojny z Polską zakładał koncentryczne uderzenie ze Śląska (Grupa Armii „Południe") oraz z Pomorza i Prus Wschodnich (Grupa Armii „Północ") z zadaniem zniszczenia sił polskich na zachodnim brzegu Wisły. 22 sierpnia Hitler wydał rozkaz zaatakowania Polski o świcie 26 sierpnia. Termin ten z różnych przyczyn, m.in. z braku jasności, czy sojusznicy zachodni udzielą Polsce realnej pomocy, został przesunięty na 1 września. Wojska niemieckie wystawione do inwazji na Polskę liczyły według różnych szacunków 1,5–1,8 mln żołnierzy, co zapew-

Wybudowane w 1934 roku pancerne kopuły wmontowano w najwyższe punkty twierdzy Modlin

Armoured cupolas, erected in 1934, were set up in the highest located points of the Modlin fortress

various reasons, like the German lack of certainty to the Western Allies' will to help Poland, Hitler rescheduled the attack on September 1. German forces assigned to invade Poland were estimated at about 1.5 – 1.8 million men completely overwhelming the Polish Army. German superiority in technologically sophisticated weapons like armour and aircraft was even greater.

Apart from the military inferiority the Polish situation was also difficult in terms of political and military geography. The most important economic centres were located in the west of the country and the winding borderline made proper deployment of defence forces difficult.

Sztandar 14 pułku piechoty

Banner of the 14th Infantry Regiment

The Polish defensive plan anticipated fighting battles in the western part of the country, gradual countering the German advance and establishing the main defensive position on the Vistula River. Polish High Command assumed that by that time France and Great Britain should have launched an offensive on the Western Front. Unknown to the Polish commanders was the fact that the French and the British leaders assessed the fate of the Republic of Poland as completely dependent on the outcome of the offensive in the West. Therefore, it

niało im przewagę liczebną, ale jeszcze bardziej istotna była przewaga w broni pancernej i lotnictwie – generalnie w możliwościach wykorzystania nowoczesnych środków walki.

Sytuacja Polski pod względem geografii polityczno-wojskowej była niezwykle trudna. Najważniejsze ośrodki gospodarcze skupione były w zachodniej części kraju, a kręty przebieg granicy utrudniał właściwe gospodarowanie siłami przeznaczonymi do jej obrony.

Polski plan obrony przewidywał stoczenie bitwy obronnej w zachodniej części kraju, następnie stopniowe hamowanie niemieckiego natarcia i wycofanie sił na główną pozycję obronną nad Wisłą, gdzie, jak przewidywało polskie Naczelne Dowództwo, doczekają one natarcia sojuszników na froncie zachodnim.

Dowództwu polskiemu nie były znane intencje państw zachodnich, tymczasem jeszcze przed wybuchem wojny sztaby angielskie i francuskie założyły, że los Polski i tak w ostatecznym rozrachunku zależeć będzie od wyniku wojny na Zachodzie i dlatego udzielenie jej natychmiastowej pomocy nie jest konieczne.

1 września Polska mogła wystawić do obrony: 39 dywizji piechoty, 2 brygady pancerno-motorowe, 11 brygad kawalerii, 3 brygady górskie. Siły te były daleko niewystarczające (wg różnych szacunków liczyły 1– 1,4 mln żołnierzy) do obsadzenia granicy z Niemcami i Słowacją (1905 km). Taki układ pogłębiał liczebną przewagę niemiecką na głównych kierunkach uderzeń – na całym froncie Niemcy mieli 1,5 raza więcej żołnierzy, a na głównych kierunkach uderzeń 2,3 raza więcej.

Najazd

Pierwszego września o godz. 4.45 pancernik szkolny „Schleswig-Holstein" otworzył ogień na Westerplatte, bronione przez jedną polską kompanię wartowniczą. Bohaterska siedmiodniowa obrona odizolowanej placówki stała się symbolem oporu Polaków we wrześniu 1939 roku. Generalnie jednak trzy pierwsze dni wojny przyniosły armii polskiej przegraną w bitwie granicznej. Szczególnie

Mundur obrońcy Polskiej Składnicy Wojskowej na Westerplatte

Uniform of one of the defenders of the Polish Ordnance Depot at Westerplatte

Żołnierze na ćwiczeniach

Polish soldiers on manoeuvres

was decided that immediate helping Poland was not necessary.

On September 1, 1939, Poland deployed thirty--nine infantry divisions, two armoured-motorized brigades, eleven cavalry brigades and three mountain brigades. These forces were incapable of securing the 1,905 kilometres long border with Germany and Slovakia. Moreover, the length of the potential front line was strengthening the German superiority. The Third Reich had 1.5 times more men along the whole Polish border and 2.3 times more men on selected lines of advance.

The Attack

On September 1, 1939, at 4.45 a.m. the trainer battleship Schleswig-Holstein began shelling a Polish outpost at Westerplatte. Defended for one week by only one sentry company it became a symbol of the Polish defence in September 1939. However, during the first three days of war Polish forces lost several battles along the border. In Pomerania German forces managed to break through all the way to Eastern Prussia. Moreover, German armoured units broke through the lines of the Polish "Łódź" and "Kraków" Armies, thus enabling the German Tenth Army to advance towards Piotrkow and Kielce. Consequently, the "Kraków" Army had to withdraw to the line of the Nida River.

Germans exploited their technological superiority forcing the Polish army to withdraw eastward. The situation became critical as the breakthrough enabled German forces to advance in the directions of Czestochowa – Piotrkow, Czestochowa – Kielce and Czestochowa – Sandmierz. The gap in the lines could have been closed by additional units, but

Z 50 zakupionych w Anglii czołgów **Vickers E** *zmobilizowano tylko 32, z których utworzono dwie kompanie*

Out of 50 **Vickers E** *tanks purchased from Great Britain, only 32 saw service; out of that number two units were formed*

niekorzystnie ukształtowały się wypadki na Pomorzu, gdzie strona niemiecka uzyskała bezpośrednie połączenie lądowe z Prusami Wschodnimi, oraz na odcinku armii „Łódź" i „Kraków", gdzie niemieckie zgrupowanie pancerne wdarło się w lukę pomiędzy obiema armiami, co otworzyło 10 Armii kierunek na Piotrków i Kielce. Położenie armii „Kraków" stało się krytyczne, wobec zagrożenia obejściem rozpoczęła ona odwrót za Dunajec i Nidę.

Niemcy uzyskali z miejsca panowanie w powietrzu, ich wojska posuwały się szybko naprzód, a polskie wycofywały się wszędzie – na północy, zachodzie i południu. Ponadto w centrum ugrupowania operacyjnego powstała niebezpiecznie poszerzająca się luka na kierunkach Częstochowa–Piotrków; Częstochowa–Kielce; Częstochowa–Sandomierz. Sytuacja nie mogła być opanowana siłami armii pierwszego rzutu i wymagała interwencji odwodów Naczelnego Wodza. Jednakże błyskawiczny przebieg wypadków pierwszych dni kampanii nie pozwolił zakończyć mobilizacji i zrealizować zaplanowanej koncentracji, co odbiło się szczególnie na stanie odwodów Naczelnego Wodza. Nie były one jeszcze gotowe do akcji jako całość.

Polskie Naczelne Dowództwo nie w pełni zdawało sobie sprawę z krytycznej sytuacji. Liczyło, że armia „Łódź" zdoła utrzymać pozycje obronne nad Wartą i Widawką, a wprowadzona do walki odwodowa armia „Prusy" zamknie wyłom w polskiej obronie i odciąży silnie naciskane armie „Łódź" i „Kraków". Otuchy dodawało ważne wydarzenie na arenie politycznej. 3 września ambasador Wielkiej Brytanii w Berlinie złożył ultimatum z terminem dwugodzinnym, żądając zaprzestania działań przeciwko Polsce i wycofania wojsk niemieckich na pozycje wyjściowe. Po paru godzinach ambasador francuski złożył podobnej treści ultimatum. Niemcy nie udzielili odpowiedzi, toteż oba państwa znalazły się w stanie wojny z Niemcami. Polska oczekiwała aktywnego wystąpienia zwłaszcza strony francuskiej, która zmusi Niemców do wycofania znaczących sił z frontu polskiego nad Ren, nic takiego jednak nie nastąpiło.

Tymczasem dowództwo niemieckie postanowiło rozwijać ofensywę i uniemożliwić stronie polskiej

Wrześniowy plakat

One of the September 1939 propaganda posters

wycofanie sił za Wisłę. W ciągu paru dni polskie plany obronne legły w gruzach. Armia „Modlin", zdezorganizowana uderzeniami lotnictwa, wycofywała się w nieładzie za Wisłę, co odsłaniało Warszawę od północy. Armia „Pomorze" zdołała uporządkować siły, ale szybko pogarszało się położenie na południu, na odcinku armii „Łódź" (nie zdołała utrzymać linii Warty i Widawki), „Prusy" i „Kraków". W tej sytuacji 6 września polskie Naczelne Dowództwo postanowiło wycofać siły na linię Narwi, Wisły i Dunajca (potem Sanu). Armie „Pomorze", „Poznań", „Łódź" i „Prusy" miały wycofać się nad środkową Wisłę.

Wykonanie rozkazu Naczelnego Wodza skazane było na niepowodzenie w obliczu przewagi w szybkości zmotoryzowanych i pancernych jednostek nieprzyjaciela. Odwrót kolumn polskich opóźniały tabory wykorzystujące trakcję konną oraz zmęczenie żołnierza polskiego, często w ciągłych odwrotach nie mogącego stawić bezpośredniego oporu nieprzyjacielowi, znękanego nieustannymi atakami z powietrza.

Edward Mesjasz, **Westerplatte.**
Bohaterska obrona Westerplatte stała się symbolem męstwa i uporu żołnierza polskiego we wrześniu 1939 roku

Edward Mesjasz, **Westerplatte**
Heroic defence of Westerplatte became a symbol of valour and persistency of the Polish soldier in September 1939

the rapid German advance disrupted the process of mobilizing the Polish Army. The reserves were not ready to go into combat.

Despite the initial defeats Polish High Command believed that Polish forces would counter the enemy. It was hoped that the "Łódź" Army would hold the line over Warta and Widawka rivers and that additional units from the reserve "Prusy" Army would close the gap in the Polish lines relieving "Łódź" and "Kraków" Armies. On September 3, the British ambassador in Berlin issued an ultimatum with a two-hour deadline demanding the German withdrawal to pre-war positions. In the following few hours the French ambassador issued a similar ultimatum. As the German government did not respond to the demands both Great Britain and France declared war on the Third Reich. Polish commanders believed that a decisive attack on the Western Front would force Germans to re-deploy their forces over the Rhine. Unfortunately no military actions were undertaken by the Polish allies.

Meanwhile, the German offensive aimed at preventing the Polish Army from crossing the Vistula River continued. The "Modlin" Army disorganized by enemy air strikes retreated chaotically to the east bank of the Vistula. The "Łódź" Army failed to hold the line by Warta and Widawka rivers. The situation of "Prusy" and "Kraków Armies was critical. On September 6, Polish High Command ordered "Pomorze", "Poznań", "Łódź" and "Prusy" Armies to re-deploy to the position of central Vistula. "Prusy" and "Kraków" Armies were later ordered to move to the line of Narew, Vistula, Dunajec and then San rivers.

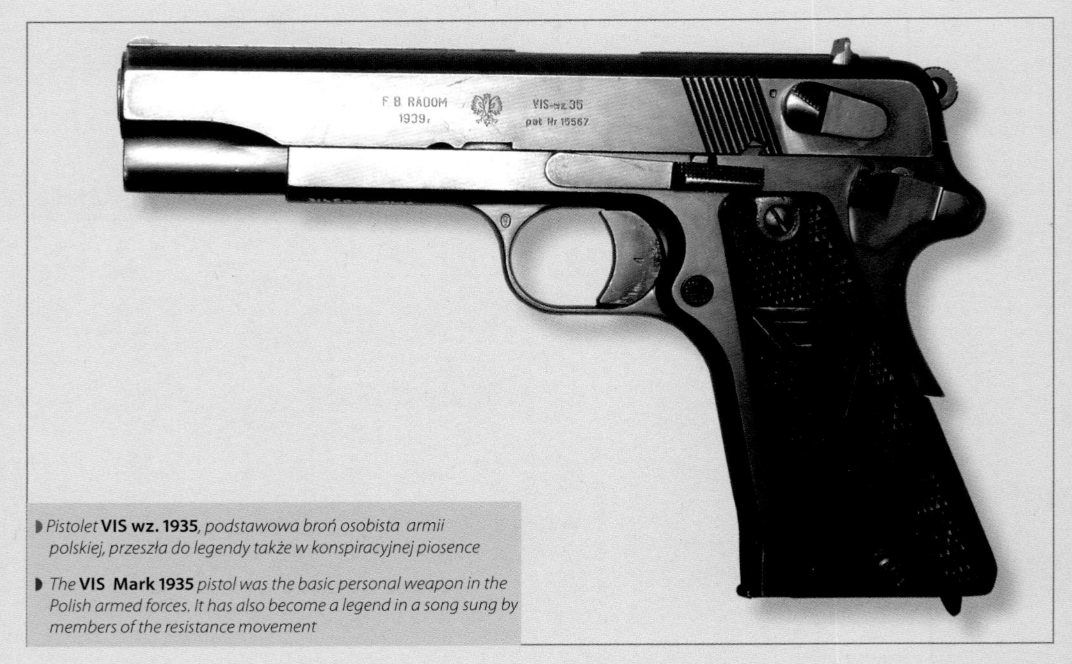

Pistolet **VIS wz. 1935**, *podstawowa broń osobista armii polskiej, przeszła do legendy także w konspiracyjnej piosence*

The **VIS Mark 1935** *pistol was the basic personal weapon in the Polish armed forces. It has also become a legend in a song sung by members of the resistance movement*

Powody do pewnego niepokoju miała też strona niemiecka. Od 3 września istniała potencjalna groźba uderzenia silnej armii francuskiej na froncie zachodnim, a plany zniszczenia wojsk polskich na zachodnim brzegu Wisły zawiodły.

W następnych dniach sytuacja układała się niekorzystnie dla strony polskiej. Armia „Prusy" została praktycznie rozgromiona i wyeliminowana z walki, pogłębiał się kryzys na froncie północnym.

8 września niemieckie wojska pancerne podeszły pod Warszawę, ale uderzenie 4 Dywizji Pancernej zostało zatrzymane.

Tego samego dnia Naczelny Wódz podjął decyzję o wycofaniu jak największych sił polskich na wschód, a następnie do Małopolski Wschodniej, gdzie chciał zreorganizować obronę na tzw. przedmościu rumuńskim. Liczył, że zacofana infrastruktura tej rolniczo-leśnej części kraju (brak dobrych dróg i mostów) utrudni działania pancernych i zmotoryzowanych wojsk nieprzyjaciela, podobnie jak pogarszające się jesienią warunki klimatyczne. Była to koncepcja od początku nierealna, choćby z powodu niewiadomej postawy Rumunii, a przecież dowództwo polskie oczekiwało dostaw broni i sprzętu od sojuszników poprzez terytorium tego kraju.

Perspektywę klęski Polski już w drugiej dekadzie września odsunęła w czasie kontrofensywa armii „Poznań" i „Pomorze" nad Bzurą. Była to największa bitwa kampanii wrześniowej, i to na dodatek taka, która przyniosła, przynajmniej w pierwszej fazie, sukcesy stronie polskiej. Obie armie wycofywały się z zachodniej Polski, a gen. Kutrzeba, który sprawował w bitwie dowództwo, postanowił wyprowadzić uderzenie na te jednostki nieprzyjaciela, które wyprzedziły jego żołnierzy w wyścigu na wschód. 10 i 11 września uderzenie wojsk polskich zaskoczyło nieprzyjaciela, Niemcy zmuszeni byli pośpiesznie ściągać posiłki z innych odcinków frontu, w tym spod Warszawy. Wieczorem 12 września natarcie polskie załamało się wobec dużych strat i rosnącego oporu Niemców. Gen. Kutrzeba dokonał przegrupowania sił, aby przez Puszczę Kampinoską przebić się do Warszawy. W trakcie odwrotu armie polskie poniosły duże straty i musiały przejść do obrony. W nocy z 16 na 17 września główne siły armii „Poznań" rozpoczęły walkę o przełamanie okrążenia, ale w następnych dniach tylko nieliczne grupy piechoty, bez broni ciężkiej, przebiły się do Warszawy i Modlina.

Wrzesień 1939, kombinezon pilota

September 1939, a pilot's flying suit

Generał Tadeusz Kutrzeba, dowódca Armii **Poznań**, *inicjator zwrotu zaczepnego nad Bzurą, w tej bitwie dowodził również Armią* **Pomorze**

General Kutrzeba, commander of the **Poznań** *Army, initiated the offensive manoeuvre on the Bzura River; in the ensuing battle he also commanded the* **Pomorze** *Army*

However, due to German superiority even in horsepower Polish forces were under continuous attacks during the withdrawal. In addition, the speed of Polish units was slowed down by columns of civilian refugees fleeing east.

Despite the significant advance of the German army, since September 3, its commanders and political leaders had to face the threat of possible Allied attack from the West. Large German forces that could be re-deployed westward had to stay in Poland as the Polish Army managed to take positions on the east bank of the Vistula River.

During that day the Polish Commander-in-Chief ordered withdrawal of all available forces eastward to Malopolska to set up a defensive perimeter by the border with Romania. He believed that the backward infrastructure of that agricultural and forested region and worsening autumn weather conditions would slow down the rapid advance of the enemy's armoured and mechanized units. The only drawback of that plan was the hesitant position of the Romanian government, which was expected to deliver the Polish Army weapons and equipment from the Western Allies.

In the second week of September, "Poznań" and "Pomorze" Armies launched a counteroffensive over the Bzura River. General Kutrzeba, the commanding officer of the Polish armies decided to attack German advanced units during his withdrawal from western Poland. The September 10 and 11 attacks surprised the enemy. However, due to new reinforcements deployed to the area and heavy casualties the Polish offensive ended on September 12. The battle of the Bzura River was the biggest one during the September campaign. After the battle General Kutrzeba's forces tried to reach Warsaw, but sustained heavy losses and were encircled. In

Obrona sztandaru 14 Pułku Ułanów Jazłowieckich pod Wólką Węglową

Banner of the Jazłowiecki Lancers 14th Regiment defended bravely in the Wólka Węglowa battle

Koniec drugiego tygodnia wojny przyniósł faktyczne przekreślenie możliwości zorganizowanego odwrotu kolumn polskich na południowy wschód. 12 września oddziały niemieckie doszły do Lwowa, do 16 września okrążyły Lubelszczyznę.

Tymczasem na osłabione wojska polskie spadł nowy cios.

Wkroczenie Armii Czerwonej. Ostatnie walki

Siedemnastego września nad ranem Armia Czerwona przekroczyła wschodnią granicę Polski pod pretekstem, jak zaskoczonemu ambasadorowi Grzybowskiemu zakomunikował sowiecki wiceminister spraw zagranicznych, „bankructwa państwa polskiego". Po wybuchu wojny w Moskwie dominowała radość, bo oto świat kapitalistyczny pogrążył się w konflikcie, od Związku Radzieckiego odsunięta została groźba konfrontacji z nazistowską Rzeszą, w osłabionych zmaganiami państwach Zachodu zapanuje sytuacja rewolucyjna, podobnie jak pod koniec I wojny światowej, a wtedy Armia Czerwona podejmie „wyzwoleńczy" marsz w Europie, tak jak w 1920 r. Stalin przez jakiś czas zwlekał z decyzją mimo nacisków niemieckich, gdyż zdaniem historyków chciał wiedzieć, w jakim stopniu państwa zachodnie pomogą Polsce. Gdy przekonał się, że tylko deklaratywnie, wydał swoim wojskom rozkaz przekroczenia granic Rzeczypospolitej.

Oddziały Armii Czerwonej skierowane przeciwko Polsce zostały zorganizowane w dwa Fronty: Białoruski i Ukraiński, w składzie 2 korpusów pancernych, 9 samodzielnych brygad pancernych, 14 dywizji kawalerii, ponad trzydziestu dywizji piechoty. Było to ponad 4 tys. dział, ok. 5 tys. czołgów i samochodów pancernych, ok. tysiąca samolotów. Liczba żołnierzy wynosiła prawdopodobnie ok. 600 tys. (szacunki sięgają od 450 tys. do miliona). Siłom tym Polacy mogli przeciwstawić 17 baonów i 6 szwadronów Korpusu Ochrony Pogranicza oraz trudną do określenia liczbę żołnierzy z ośrodków zapasowych, formacji wartowniczych itp. (300 dział, 70 czołgów, 160 samolotów).

Informacja o wkroczeniu Rosjan wywołała zamieszanie i przygnębienie wśród naczelnych władz Rzeczypospolitej, przebywających już wówczas na południowo-wschodnich kresach kraju. Naczelny Wódz wydał rozkaz do wojska: „Sowiety wkroczyły. Nakazuję ogólne wycofanie na Węgry i Rumunię najkrótszymi drogami. Z bolszewikami nie walczyć, chyba w razie natarcia z ich strony albo próby rozbrojenia oddziałów". Rozkaz ten wywołał spore zamieszanie. Do tradycji oręża polskiego przeszły bohaterska obrona Grodna do 22 września i bój pod Kodziowcami. Zagrożony przez Niemców Lwów poddał się Rosjanom 23 września.

Nocą z 17 na 18 września prezydent, rząd i Naczelny Wódz przekroczyli granicę rumuńską – decyzja tego ostatniego o opuszczeniu walczących jeszcze wojsk wywołała spore kontrowersje.

W ostatnich dniach września III Rzesza i Związek Radziecki zakończyły rozmowy o podziale łupów. Niemcy przez jakiś czas rozpatrywali ewentual-

Michał Bylina, **Wrzesień 1939**

Michał Bylina, **September 1939**

the night from September 16/17 main forces of the "Poznań" Army tried to fight their way through the German positions, but only a few infantry groups managed to reach Warsaw or Modlin.

By the end of the second week of September southeast Poland was cut off by the German army. On September 12, German forces reached Lvov and by September 16 the Lublin province was encircled.

The Soviet Invasion and the Last Battles

The following day posed a new threat to the Polish Army. At dawn on September 17, 1939, the Red Army crossed the eastern border of Poland. As the Soviet officials told Waclaw Grzybowski, the Polish ambassador in Moscow, the cause of the invasion was the "bankruptcy of Poland." After the Polish-German war broke out Soviet leaders were imbued with joy as the capitalistic states fought each other and the threat of confrontation with the Third Reich diminished. It was also hoped that once the war effort of the Western states fades and revolutionary mood sweeps Europe, the Soviet Union would be able to begin its "liberating" drive westward. Despite the German pressure Stalin delayed the decision to invade Poland, as he wanted to test the Western Allies will to help the besieged country. As no help was given Stalin ordered the invasion of Poland.

Units of the Red Army assigned to attack Poland were organized into the Belarussian Front and the Ukrainian Front consisting of two armoured corps, nine independent armoured brigades, fourteen cavalry divisions and over thirty infantry divisions.

ność utrzymania kadłubowego państwa polskiego w przewidywaniu ewentualnych rokowań z państwami zachodnimi, ale Stalin, któremu przypadły Kresy Wschodnie Rzeczypospolitej, był temu zdecydowanie przeciwny. 27 września do Moskwy przybył Ribbentrop, a po trzech dniach ustalono nową linię podziału Polski. W zamian za tereny między Wisłą, Bugiem i Sanem Niemcy zrzekli się Litwy. To wówczas padły słowa Mołotowa o Polsce jako bękarcie traktatu wersalskiego.

Tymczasem w kraju toczyły się ostatnie walki. Ich symbolem była obrona Warszawy. Dowództwo niemieckie po zakończeniu walk nad Bzurą przegrupowało wojska pod Warszawę, poprzedzając jej szturm zmasowanymi uderzeniami lotnictwa oraz ostrzałem artyleryjskim. Po wyczerpaniu środków obrony Warszawa skapitulowała 28 września, dzień później złożył broń Modlin. Na Lubelszczyźnie pod Tomaszowem biły się jednostki armii „Kraków" i „Lublin". Ostatnim akordem była bitwa SGO „Polesie" pod Kockiem (skapitulowała 6 października). Na odizolowanym Wybrzeżu do 2 października bronił się Hel.

Kampania wrześniowa zakończyła się klęską armii polskiej, choć w osamotnieniu stawiła ona opór wojskom dwóch agresorów. Polsce mogła pomóc tylko zdecydowana ofensywa na froncie zachodnim, ale decyzje Najwyższej Rady Wojennej sojuszników podjęte w Abbeville 12 września ostatecznie zniweczyły taką możliwość.

Wehrmacht wykazał w wojnie błyskawicznej walory, jakimi szokował później Europę i świat. Mimo to Niemcy stracili co najmniej 10 tysięcy poległych, znaczne były też straty Rosjan. Na cmentarzach spoczywa ok. 70 tys. polskich żołnierzy Września, ok. 600 tys. poszło do niewoli niemieckiej, ok. 400 tys. do sowieckiej. Ważne było jednak to, że Polska nie skapitulowała, a rząd i siły zbrojne kontynuowały działalność poza granicami kraju.

Podczas kampanii wrześniowej agresorzy dopuścili się zbrodni wobec jeńców i ludności cywilnej.

PZL P-11c *z 121 Eskadry Myśliwskiej, maszyna legendy polskiego lotnictwa ppor. Wacława Króla*

The **PZL P-11c** *monoplane of the 121st Fighter Flight. The plane was flown by Second Lieutenant Wacław Król, the legend of Polish air force*

These units consisting of about 600,000 men (it is estimated that Soviet forces had between 450,000 and 1,000,000 men) were equipped with over four thousand guns, about five thousand tanks and armoured cars and in thousands of aircraft. To counter the Soviet invasion Poland was able to deploy seventeen battalions and six squadrons of the Border Protection Corps and some reserves equipped only in three hundred guns, seventy tanks and one hundred sixty aircraft.

The information about the Soviet invasion brought only confusion. The Polish Commander-in--Chief addressed the men: "The Soviets have entered. I order a general withdrawal to Hungary and Romania. Do not fight the Bolsheviks unless you are being engaged or disarmed." The address brought more confusion. Despite the order Polish forces were defending Grodno till September 22, and fought the battle of Kodziowice. On September 23, the garrison of Lvov surrendered to the Soviets.

In the night from September 17/18 Polish president and the government fled the country. The same decision had been taken by the commander--in-chief, but it aroused controversies.

In the last few days of September the Third Reich and the Soviet Union divided the conquered territories. In case of future negotiations with the Western states, Germans suggested maintaining a subordinate state of Poland, but Stalin rejected the idea.

On September 27, Joachim von Ribbentrop arrived in Moscow to finalize the talks. Within the following three days Poland was divided: Germany gave up Lithuania for land between the Vistula, Bug and San rivers. It was during these negotiations that Molotov described Poland as the bastard of the Versailles Treaty.

Meanwhile, the last battles were fought. After the battle of the Bzura River had ended German forces moved on to attack Warsaw. The assault on the city was preceded with heavy air strikes and shelling. On September 28, Warsaw surrendered. Another battle was fought by the "Kraków" and "Lublin" Armies near Tomaszów. A Polish stronghold on the isolated Hela Peninsula fought till October 2. The last battle fought by the "Polesie" Independent Operational Group ended on October 6.

The September campaign ended with the defeat of the Polish army that fought alone against the two invaders. It is claimed that in 1939 Poland could have been saved only by decisive actions on the Western Front launched at the beginning of the September campaign, but due to decisions made by the Allied Supreme War Council in Abbeville on September 12, no military operations were launched.

During the September campaign Wehrmacht presented the world its bliztkrieg concept of war. Nevertheless, German casualties were reached 10,000 killed. The Soviets also sustained substantial losses. The heroic defence cost Poland about 70,000 killed, 600,000 men went to German captivity and further 400,000 were taken prisoner by the Soviets. But most important was the fact that Poland did not surrender and that its government and armed forces continued their service outside the country.

During the September campaign both invaders committed crimes on Polish prisoners-of-war and the civilian population.

Polskie Siły Zbrojne na obczyźnie

Polish Armed Forces in Exile

Wojsko Polskie we Francji

Zagadnienie organizacji polskich oddziałów we Francji na wypadek wybuchu wojny było poruszone po raz pierwszy w czasie polsko-francuskich rozmów wojskowych w maju 1939 r. Umowę polsko-francuską o utworzeniu polskiej dywizji podpisano dopiero 9 września. 21 września został podpisany protokół wykonawczy do umowy. Miejscem formowania polskiej 1 Dywizji stał się obóz w Coetquidan.

Nowy okres w dziejach polskich jednostek we Francji rozpoczął się po przybyciu do Paryża gen. W. Sikorskiego i objęciu przez niego dowództwa nad Armią Polską. W związku z planowaną rozbudową armii Naczelny Wódz (NW) gen. Sikorski podjął rokowania w sprawie zawarcia nowej, odpowiadającej polskim dążeniom umowy wojskowej. W tym czasie rozpoczęto formowanie 2 Dywizji Piechoty w Parthenay.

4 stycznia 1940 r. w Paryżu została podpisana nowa umowa wojskowa polsko-francuska. 9 lutego 1940 r. rozpoczęto w Coetquidan formowanie Samodzielnej Brygady Strzelców Podhalańskich (SBSPodh.) gen. Z. Bohusza-Szyszko. SBSPodh. powstała z myślą o wysłaniu jej w składzie alianckiego korpusu ekspedycyjnego na pomoc walczącej ze Związkiem Sowieckim Finlandii. Po zawarciu 12 marca 1940 r. pokoju sowiecko-fińskiego udział w ekspedycji stał się nieaktualny. 7 maja SBSPodh. przybyła do Norwegii. 16 maja SBSPodh. zajęła pozycje obronne na półwyspie Ankenes, przygotowując się do walk o Narvik. 27 maja rozpoczęło się natarcie, którego celem było między innymi opanowanie: Ankenes, Nyborga, Beisfjordu. Na Ankenes i Nyborg nacierał II i IV batalion, a na brzeg Beisfjordu I batalion SBSPodh. Zajęcie Beisfjordu wyprowadzało oddziały polskie na kierunek odwrotu nieprzyjaciela z półwyspu Narvik. Atak czołowy na Ankenes napotkał bardzo silny opór Niemców. 29 maja II batalion zdobył wzg. 295, blokujące dostęp do miasta. Na prawym skrzydle głównym kierunkiem natarcia I batalionu były wzg. 650 i 773. Zdobycie ich umożliwiło wkroczenie do Nyborgu i wyjście na brzeg Beisfjord. 31 maja nastąpiło połączenie z oddziałami francuskimi, dzięki czemu nieprzyjaciel został zepchnięty do granicy szwedzkiej. 8 czerwca ze względu na szybkie postępy niemieckie na froncie zachodnim oddziały alianckie zostały ewakuowane z Norwegii. Straty SBSPodh. wyniosły: 97 poległych, 28 zaginionych i 189 rannych. SBSPodh. stanowiła 1/3 wojsk lądowych państw sprzymierzonych walczących w Norwegii.

Wizyta Naczelnego Wodza w Samodzielnej Brygadzie Strzelców Podhalańskich. Stoją gen. W. Sikorski, płk dypl. Z. Bohusz-Szyszko, ppłk dypl. W. Kamionko, mjr Z. Borkowski (ZW)

The Commander-in-Chief inspects the Independent Highland Rifle Brigade. Standing: General Sikorski, Colonel Z. Bohusz-Szyszko, Lieutenant Colonel Wacław Kamionko, Major Borkowski

W czasie gdy SBSPodh. płynęła do Norwegii, 1 DP (od 3 maja 1 Dywizjia Grenadierów – 1 DGren.) gen. B. Ducha została przetransportowana do strefy przyfrontowej w Lotaryngii. 16 maja 1 DGren. została przesunięta do rejonu Luneville, gdzie weszła w skład francuskiego XX Korpusu gen. Huberta. Od 14 czerwca brała ona udział w walkach obronnych prowadzonych przez XX Korpus, broniąc styku francuskich 3 i 5 Armii. W pierwszym okresie 1 DGren. broniła odcinka Lening – Altwiller, przy czym jej czołowe oddziały zostały wysunięte na linię rzeki Albe. Po całodniowych walkach w nocy z 15 na 16 czerwca 1 DGren. oderwała się od nieprzyjaciela i przeszła do rejonu Dieuze – Assenoncourt –Azo-

The Polish Army in France

The issue of creating Polish units in France in case of war was discussed for the first time during the military Polish – Franco talks in May 1939. However, the final agreement was signed not until September 9, and the executive protocol was signed on September 21. Coetquidan was fixed as the place of formation of the Polish 1st Infantry Division.

General Wladyslaw Sikorski became the C-in-C of the Polish forces in France. As the formation of the 2nd Infantry Division in Porthenay was already in progress and there were plans for further Polish units General Sikorski began negotiations of the new military agreement with the French government. The agreement was signed on January 4, 1940. Soon after on February 9, 1940, the Independent Highland Rifle Brigade (Samodzielna Brygada Strzelców Podhalańskich) under the command of General Zygmunt Bohusz – Szyszko was formed in Coetquidan. The brigade was to become a part of the Allied expeditionary corps that was to be sent to Finland to fight against the Soviet Union. However, as the Finish – Soviet peace treaty was signed on March 12, 1940, the brigade became the third part of another expeditionary corps. On May 7, the Highland Brigade arrived in Norway and May 16 it was deployed to the Ankenes peninsula to prepare for the assault on Narvik. On May 27, 2nd and 4th Battalions launched an assault on Ankenes and Nyborg, the 1st Battalion headed for Beisfjord. The direct assault on Ankenes met strong German resistance, but on May 29, the 2nd Battalion managed to take the hill 295 overlooking the city. On the right flanks the 1st Battalion captured hills 650 and 773 securing the town of Nyborg and the shore of Beisfjord. On May 31, the Polish units linked up with the French and combined attack pushed the Germans back to the Swedish border. However, due to the rapid German advance on the Western Front Allied forces were evacuated from Norway. By the time the brigade left Norway it lost 97 men killed, 28 missing in action and 189 wounded.

9 kwietnia 1940 roku żołnierze 3 Dywizji Górskiej zaatakowali port Narwik. 27 maja wojska aliantów wyparły Niemców z miasta

On April 9, 1940, troops of the 3rd Mountain Division attacked the port of Narvik. On May 27, the Allied forces drove the enemy out

While the Independent Highland Rifle Brigade was sailing to Norway, the Polish 1st Infantry Division (on May 3, re-designated the 1st Grenadier Division) under the command of General Bronislaw Duch was moved to the frontline in Lorraine. On May 16, the division joined the French XX Corps commanded by General Hubert. Since June 14, the division was fighting with the French corps securing the flanks of French Third and Fifth Armies. After night – long fighting on September 15/16, the 1st Grenadier Division disengaged the enemy moved to the Dieuze – Assenoncourt – Azoudange area. After the French withdrawal the division was nearly encircled, but after heavy fighting it moved to protect a canal between the Marne and Rhine rivers. As the Germans crossed the canal at Lagarde on June 17, the following day General Hubert ordered the division to withdraw to the Baccarat Forest. On June 19, General Sikorski ordered the division to move to southern France or if that was impossible to Switzerland. As the order of the C-in-C was already impossible to carry out General

Odznaka pamiątkowa i mundur 1 Dywizji Grenadierów, Francja 1940. 3 maja 1940 roku 1 Dywizja Wojska Polskiego we Francji otrzymała miano 1 Dywizji Grenadierów, a jej oddziałom nadane zostały nazwy i wręczone sztandary

Commemorative badge and uniform of the 1st Grenadier Division, France, 1940. On May 3, 1940 the 1st Division of the Polish Army was renamed to become the 1st Grenadier Division, so were its units which were handed over banners

udange. 16 czerwca prowadziła ona ciężkie walki w rejonie Dieuze, gdzie groziło jej okrążenie na skutek wycofywania się walczących na skrzydłach oddziałów francuskich. W nocy z 16 na 17 czerwca 1 DGren. otrzymała rozkaz gen. Huberta obsadzenia i obrony kanału Marna-Ren. W godzinach popołudniowych 17 czerwca Niemcy osiągnęli linię kanału w rejonie Lagarde. Wieczorem 18 czerwca na rozkaz dowódcy XX Korpusu dywizja wycofała się do lasów Baccarat, gdzie przeszła do odwodu korpusu. 19 czerwca po otrzymaniu rozkazu gen. Sikorskiego nakazującego przedostanie się na południe Francji, a gdyby to było niemożliwe, do Szwajcarii dowódca 1 DGren. zameldował się u gen. Huberta, prosząc o zwolnienie polskiej jednostki ze składu korpusu. Gen. Hubert stwierdził, że w obecnym położeniu nie widzi żadnych szans na przebicie się 1 DGren. na południe. W związku z tym gen. Duch postanowił, że dywizja pozostanie z Francuzami do końca prowadzenia przez nich walk. W związku z kapitulacją XX Korpusu 21 czerwca gen. Duch wydał rozkaz „Wykonać 4444", który oznaczał rozwiązanie dywizji. Ze stanu około 15 000 żołnierzy tylko 2000 udało się przedostać do południowej Francji, a kilkuset do Szwajcarii. Straty 1 DGren. wyniosły około 900 poległych i około 2800 rannych (do dnia dzisiejszego nie udało się ustalić pełnych strat dywizji).

W ślad za 1 DGren. do strefy przyfrontowej w Lotaryngii została przetransportowana 2 DP gen. B. Prugar-Ketlinga, która otrzymała nazwę 2 Dywizji Strzelców Pieszych (2 DSP). W rejonie Belfort 2 DSP weszła w skład francuskiego XLV Korpusu gen. Daille. 14 czerwca dowódca 8 Armii rozkazał gen. Prugar-Ketlingowi wydzielić ze składu dywizji 5 PSP oraz OR do organizowanego Oddziału Wydzielonego płk. Duluca. Z oddziałów tych do dywizji po ciężkich walkach dołączył tylko II batalion 5 pułku. 2 DSP w dniach 18 i 19 czerwca prowadziła walki w rejonie rzeki Doubs, uniemożliwiając nieprzyjacielowi odcięcie oddziałów XLV Korpusu od granicy szwajcarskiej. Piękną kartą w dziejach 2 DSP były walki obronne pod Maiche, Damprichard i Saint-Hippolyte. W nocy z 19 na 20 czerwca oddziały 2 DSP przekroczyły granicę francusko-szwajcarską. Znalazło tam schronienie około 13 000 żołnierzy 2 DSP i 900 1 DGren. W Szwajcarii żołnierze polscy zostali internowani i przebywali tam do 1945 r. Straty dywizji wyniosły 41 poległych, 2544 zaginionych i 134 rannych.

10 czerwca na front w Szampanii została skierowana część 10 Brygady Kawalerii Pancernej (10 BKPanc.) gen. S. Maczka. Od 13 czerwca 10 BKPanc. osłaniała odwrót francuskich 20 i 59 DP z VII Korpusu. 16 czerwca brygada znalazła się w rejonie lasów Chaource,

Francuski pistolet **UNIQUE**

The French **UNIQUE** *pistol*

Duch decided to stay with the French. After the French XX Corps surrendered the Polish general ordered "Execute 4444" meaning disbanding the division. Out of 15,000 men only 2,000 managed to reach southern France and a few hundred got to Switzerland. The 1st Grenadier Division's casualties reached 900 killed and about 2800 wounded (the list of casualties is not closed even today).

The other Polish division to fight in Lorraine was the 2nd Infantry Division re-designated the 2nd Rifle Division (2. Dywizja Strzelców Pieszych) commanded by General Prugar – Ketling. It became a part of the French XLV Corps of General Daille. On June 14, the division commander was ordered to exclude the 5th Regiment and reconnaissance unit for Colonel Duluc's task force (Oddział Wydzielony). After a few days of heavy fighting only the 2nd Battalion managed to rejoin the division. On June 15 and 16, the 2nd Rifle Division fought along the Doubs River securing the XLV Corps withdrawal to the Swiss border. After defensive actions at Marche, Damprichard and Saint – Hippolyte the division crossed the Swiss border in the night from June 19 to 20. About 13,000 men from the 2nd Rifle Division and 900 men from the 1st Grenadier Division were interned in Switzerland and remained there till 1945. The division of General Prugar – Ketling lost 41 men killed, 2544 missing in action and had 134 wounded.

Apart from infantry units the Polish Armed Forces also included armour. On June 10, 1940, elements of the 10th Armoured Cavalry Brigade, commanded by General Stanislaw Maczek, were deployed to the frontline in Champagne. From June 13, the brigade was securing the withdrawal of the French 20th and 59th Infantry Divisions from the VII Corps. On June 16, the brigade was ordered to move on Montbard to secure the crossings on the Burgundian Canal. To assist the French 235th Infantry Division on its way across the Loire River, in the night from June 16/17 the Polish armoured brigade surprised the enemy by taking Montbard. But despite the initial success the brigade got encircled on June 17, and

RKM **Chatellerault wz. 24/29**

The **Chatellerault Mark 24/29** *light machine gun*

skąd miała działać w kierunku na Montbard, w celu opanowania i zabezpieczenia przepraw na Kanale Burgundzkim. Miało to umożliwić otwarcie drogi za Loarę 235 DP. W nocy z 16 na 17 czerwca, działając przez zaskoczenie, 10 BKPanc. zaatakowała czołgami Montbard i po krótkiej walce zdobyła. 17 czerwca 10 BKPanc. została otoczona przez nieprzyjaciela. Wobec braku paliwa i amunicji, gen. Maczek powziął decyzję o przebijaniu się małymi grupami za Loarę. Straty wyniosły: 50 poległych, 1020 zaginionych i 120 rannych. Pozostałe pododdziały 10 BKPanc., które nie brały udziału w działaniach bojowych, zostały ewakuowane do Wielkiej Brytanii.

Obok wymienionych jednostek na froncie walczyły również polskie kompanie przeciwpancerne, przydzielone do francuskich dywizji piechoty.

W maju 1940 r. w trakcie organizacji były 3 i 4 DP, które nie osiągnęły jeszcze pełnych stanów. W czerwcu Armia Polska we Francji liczyła około 84 500 żołnierzy.

Wobec zbliżającej się klęski Francji NW postanowił ewakuować oddziały polskie do Wielkiej Brytanii. W związku z tym 18 czerwca odleciał on do Londynu. W trakcie spotkania z premierem Churchillem gen. Sikorski uzyskał zapewnienie, że Wielka Brytania nie zamierza kapitulować przed Niemcami i będzie prowadziła dalszą walkę aż do pełnego zwycięstwa. W czasie trwania konferencji przywódca brytyjski nakazał gen. Ismay ewakuację jednostek polskich z Francji. Równocześnie dowództwo brytyjskie postanowiło w rejonie Glasgow w Szkocji zorganizować obozy dla żołnierzy polskich.

W tym samym czasie zastępujący NW gen. K. Sosnkowski spotkał się z gen. Denainem, od którego zażądał, aby władze francuskie udzieliły pomocy przy ewakuacji jednostek polskich. Gen. Denain odpowiedział: „Francja nie ma do dyspozycji statków, wobec czego radzi przystąpić niezwłocznie do zakupu przez władze polskie statków ewentualnie nawet za złoto". Zaznaczył przy tym, że w wypadku gdyby warunki rozejmu z Niemcami dotyczyły także armii polskiej, to rząd francuski nie mógłby się temu oprzeć. Wypowiedź gen. Denaina wywołała bardzo ostrą reakcję gen. Sosnkowskiego, który stwierdził: „nie mogę uwierzyć w to, aby rząd francuski zapomniawszy o honorze żołnierskim, mógł wydać Niemcom Wojsko Polskie, które spełniało i zawsze spełnia do końca swój obowiązek względem sprzymierzonej Francji".

Pomoc brytyjska nie zdołała już uratować SBSPodh., która – w wyniku błędnej oceny sytuacji przez aliantów – została skierowana do Francji z Wielkiej Brytanii, gdzie zatrzymała się w drodze powrotnej z Norwegii. Po przybyciu do Francji SBSPodh. weszła w skład obrony „reduty bretońskiej". 17 czerwca wobec pogłosek o zawieszeniu broni gen. Bohusz-Szyszko zwrócił się do gen. Bethouarta z prośbą o umożliwienie brygadzie przedostania się do Wielkiej Brytanii. Francuski dowódca wyraził na to zgodę. Szybkość działań niemieckich przekreśliła możliwość wykonania tej decyzji. Z jednostki liczącej około 4000 ludzi do Wielkiej Brytanii zdołało się ewakuować tylko kilkuset żołnierzy.

Gen. Prugar-Ketling z oficerami (ZW)

General Prugar-Ketling with his officers

General Maczek ordered breaking through the German lines across the Loire River. Casualties of the Polish brigade reached 50 killed, 1020 missing and 120 wounded. Units of the 10th Armoured Cavalry Brigade that had not participated in combat were evacuated to Great Britain.

Besides the already mentioned units the Polish Army in France also had several antitank companies. Those detachments were attached to the French infantry divisions to increase their capabilities. While the Allied forces tried to counter the German offensive Polish 3rd and 4th Infantry Divisions were still undergoing the process of formation. By June 1940, the Polish Army in France had 84,500 troops.

As the Allied defeat in France was imminent the Polish C-in-C decided to evacuate his forces to Great Britain. On June 18, General Sikorski flew to England. During a meeting held in London with the British Prime Minister Winston Churchill General Sikorski was reassured that Great Britain was not going to surrender and would fight to the victorious end of the war. During that meeting Churchill ordered General Ismay to evacuate the Polish forces from France. The area around Glasgow, Scotland was designated as staging area for the Polish troops.

While General Sikorski was in England General Kazimierz Sosnkowski, the acting C-in-C, asked the French General Denain for assist in the Polish evacuation. Denain said: "The French government does not have any ships available, therefore the Polish authorities should immediately purchase some. Paying in gold if necessary." Moreover, Denain stated that if terms of surrender to the Germans included the Polish forces, the French government would not hesitate and surrender. The response of general Sosnkowski was harsh: "I cannot believe that the French government is forgetting about soldier's honour and is giving the Polish Army, that has always fulfilled its duties towards France, away to the Germans".

After participating in the Norwegian campaign the Independent Highland Brigade sailed to Great Britain but due to the incorrect Allied analysis it was re-deployed to France. After its arrival it participated in the defence of Brittany. On June 17, the French General Bethouart permitted the brigade to evacuate to Great Britain, but the fast German advance made the extraction impossible. Out of almost 4,000 men only a few hundred were evacuated.

Dowódca SBSK gen. bryg. S. Kopański dekoruje żołnierza brygady (ZW)

Major General Stanisław Kopański, Commander-in-Chief of the Independent Carpathian Rifle Brigade, decorates a soldier of the Brigade

Podobnie potoczyły się losy liczącej około 9600 żołnierzy 3 DP. Jednostka ta wchodziła w skład obrony „reduty bretońskiej"; kiedy okazało się, że Francuzi nie będą bronili Bretanii, dowódca 3 DP postanowił wycofać ją za Loarę. Z względu na żądanie dowodzącego obroną Bretanii gen. Altmayera, aby polska dywizja kapitulowała przed Niemcami, płk dypl. Tadeusz Zieleniewski postanowił rozwiązać 3 DP. Zameldował o tym przygotowującemu się do ewakuacji w La Tourballe gen. Faury'emu, który oświadczył: „daję Panu rozkaz. Zbierze Pan z powrotem swoją dywizję i zgłosi się Pan do Niemców". Płk Zieleniewski nie wykonał rozkazu francuskiego przełożonego. Ostatecznie do Wielkiej Brytanii zdołano ewakuować około 2500 żołnierzy.

Dzięki pomocy brytyjskiej oraz pracy sztabu ewakuacyjnego kierowanego przez gen. M. Kukiela, wieczorem 19 czerwca 1940 r. w portach La Pallice i La Rochelle rozpoczęła załadunek 4 DP.

W czerwcu 1940 r. do Wielkiej Brytanii udało się ewakuować 17 205 żołnierzy wojsk lądowych.

Samodzielna Brygada Strzelców Karpackich

Dziewiętnastego grudnia 1939 r. gen. Sikorski wystosował pismo do gen. Gamelin, w którym proponował utworzenie przy Armii Lewantu polskiej jednostki wojskowej. Miała ona powstać z żołnierzy oraz ochotników ewakuowanych z Rumunii i Węgier. 2 kwietnia 1940 r. NW powołał do życia Brygadę Strzelców Karpackich pod dowództwem płk. dypl. Stanisława Kopańskiego. Brygada formowała się w Homs w Syrii. Po kapitulacji Francji brygada rozpoczęła przygotowania do przejścia do Palestyny. 28 czerwca Francuzi zażądali pozostania brygady w Syrii oraz oddania broni. Płk. Kopański w rozmowie z dowódcą Armii Lewantu gen. Mittelhausserem stwierdził, że brygada broni nie odda.

Similar was the fate of the 3rd Infantry Division. When the French were preparing to defend Brittany, the division was to become a part of the Brittany line of defences. However, when the French decided to give Brittany up, the Polish commander Colonel Tadeusz Zieleniewski withdrew the unit across the Loire River. As the French General Altmayer who was commanding the defensive forces in Brittany, demanded the Polish CO to surrender to the Germans, Colonel Zieleniewski decided to disband the division. When he reported his decision to the French General Faury, who was preparing for the evacuation from La Tourballe, Zieleniewski was ordered, "You will form your unit and report to the Germans. That is an order."

In the evening on June 19, thanks to the British assistance and thorough work of General Marian Kukiel's evacuation staff, the 4th Infantry Division began to embark in the ports of La Pallice and La Rochelle.

By the end of the June 1940, 17,205 Polish ground troops were evacuated to Great Britain.

22 czerwca 1940 r. La Verdon. Ewakuacja polskich żołnierzy do Wielkiej Brytanii (ZW)

June 22, 1940, La Verdon. Polish troops are evacuated to Great Britain

The Independent Carpathian Rifle Brigade

On December 19, 1939 General Sikorski wrote on official letter to the French General Maurice Gamelin suggesting forming a Polish unit by the Army of the Levant. The unit was supposed to be created from men and volunteers evacuated from Romania and Hungary. By the order of the Polish Commander-in-Chief the Carpathian Rifle Brigade (Brygada Strzelców Karpackich) was formed in Homs, Syria, on April 2, 1940, under the command of Colonel Stanislaw Kopański. After the French surrender the brigade was about to move

Odznaka **Legii Oficerskiej**, *Bliski Wschód 1941*

Badge of the Officer's Legion, Middle East 1941

Francuski generał, w obawie, że mogłoby dojść do rozlewu krwi pomiędzy Francuzami a Polakami, zezwolił na przejście brygady na teren Palestyny. Nowym miejscem szkolenia i postoju stał się obóz Latrun w Palestynie. W październiku 1940 r. brygadę przegrupowano do Egiptu.

12 stycznia 1941 r. brygada otrzymała nazwę Samodzielnej Brygady Strzelców Karpackich. Stan SBSK wynosił 4956 żołnierzy.

W dniach od 19 do 28 sierpnia SBSK w tajemnicy została przetransportowana drogą morską do Tobruku bronionego przez australijską 9 DP gen. Morsheada. 3 października SBSK przejęła najdłuższy i najcięższy, zachodni odcinek obrony Tobruku, od tzw. wyłomu za wzgórzem Ras el Medauar, na którym siedzieli Niemcy mając dokładny wgląd w głąb oblężonej twierdzy, aż po brzeg morza. Odległość od pozycji wroga wynosiła na tym odcinku od 80 do 800 metrów. Ze względu na długość odcinka gen. Kopańskiemu zostały podporządkowane oddziały brytyjskie i czeskie. W czasie jednego z patroli ułani z Karpackiego Pułku Ułanów wzięli do niewoli jeńca włoskiego, który poinformował o szykującym się generalnym szturmie na Tobruk. Informacja ta, potwierdzona również przez inne źródła, przyspieszyła brytyjską ofensywę z Egiptu. 18 listopada brytyjska 8 Armia rozpoczęła operację „Cruisader". Po przejściowych niepowodzeniach na początku grudnia 8 Armia przeszła ponownie do ofensywy, zmuszając nieprzyjaciela do odwrotu. W nocy z 9 na 10 grudnia oddziały SBSK rozpoczęły natarcie na oblegające Tobruk siły włoskie i niemieckie. 10 grudnia oblężenie Tobruku zostało zakończone, a sprzymierzeni przeszli do pościgu za nieprzyjacielem. W dniach 14–17 grudnia SBSK wzięła udział w bitwie pod Gazalą. Straty SBSK w czasie walk w Libii wyniosły 638 poległych, rannych i zaginionych żołnierzy.

Wojsko Polskie w Wielkiej Brytanii

Piątego sierpnia 1940 r. w Londynie podpisano polsko-brytyjską umowę wojskową. Jej zawarcie przez premiera Churchilla było naruszeniem brytyjskiego prawa konstytucyjnego, które nie zezwalało na pobyt na terenie Zjednoczonego Królestwa obcych wojsk bez uzyskania zgody parlamentu. Z uwagi jednak na ogólną sytuację militarną premier Churchill przekroczył swoje uprawnienia i razem z ministrem spraw zagranicznych podpisali umowę. Był to jedyny przypadek w Wielkiej Brytanii złamania przepisów prawnych w okresie II wojny światowej. Ostatecznie pobyt oddziałów polskich został zalegalizowany 22 sierpnia 1940 r. ustawą Allied Forces Act., która nadała Polskim Siłom Zbrojnym takie same prawa, jak siłom zbrojnym państw Brytyjskiej Wspólnoty Narodów. Polsko-brytyjska umowa wojskowa umożliwiała organizowanie nowych jednostek, przy czym brak szeregowych zmusił Naczelnego Wodza do organizacji jednostek kadrowych. W końcu sierpnia 1940 r. na terenie Wielkiej Brytanii polskie wojska lądowe składały się z: 1 i 2 Brygady Strzelców; 3, 4 i 5 Brygad Kadrowych Strzelców oraz Zgrupowania Żołnierzy Broni Pancernej. 28 września rozkazem Naczelnego Wodza został utworzony I Korpus.

Angielski hełm **Mk.II.**

The British **Mark II** *helmet*

to Palestine, but the French demanded the unit to remain in its position and disarm. Colonel Kopański refused to obey that order and after discussing the matter with General Mittelhausser, the C-in-C of the Levant Army stated that his Brigade would not return the arms. The French general, fearing that bloodshed could occur between the French and the Polish, eventually permitted the brigade to march on to Palestine where the unit quartered in the Latrun camp which was also designed for training. In October 1940, the brigade was transferred to Egypt, where on January 12, 1941 it was re-designated the Independent Carpathian Rifle Brigade.

In the period between August 19 – 28 the brigade disembarked in secret in Tobruk to assist the Australian 9th Infantry Division commanded by General Morshead, in defending the city. Since October 3, the brigade was responsible for the longest and toughest western front line of the defensive perimeter. Due to the difficult task the brigade and the British and Czech units placed under the command of general Kopański were to counter the German attacks from the gap behind the Ras el Medauar hill, from which the enemy could overlook the besieged fortress, to the coast. The distance between the German positions to the Polish lines varied from 80 to 800 metres. On one of the patrols soldiers from Carpathian Lancers Regiment captured an Italian prisoner. The prisoner revealed information on the incoming assault on Tobruk. That information confirmed by other sources accelerated the launch of the British offensive in Egypt. On November 18, the British Eighth Army began the operation CRUSADER. After initial failures the British army attacked again in early December forcing the enemy to withdraw. In the night from December 9/10, elements of the Polish brigade attacked the German and Italian forces besieging Tobruk. By December 10, the siege was raised and the Allied forces began to pursue the enemy. On December 14 – 17, the brigade participated in the battle of Gazala. Out of 4,956 men the Independent Carpathian Rifle Brigade suffered in Libya 638 casualties.

The Polish Army in Great Britain

On August 5, 1940, Winston Churchill signed the Polish – British military agreement permitting the Polish forces to be stationed in Great Britain. It was an extraordinary event as the agreement violated the British law. According to the British law any presence of a foreign army in the United Kingdom must be first authorized by the British Parliament. Nevertheless, Prime Minister and the Foreign Minister aware of breaking their rights and the law signed the agreement to increase the British defensive capabilities. That was the only violation of law in Great Britain during World War II. Eventually, presence of the Polish forces was authorized on August 22, 1940 by the Allied Forces Act. That act gave the Polish Armed Forces in Great Britain the same rights as those of the Commonwealth armies and permitted the formation of new Polish units. However, due to the low number of privates some units consisted of only key personnel. By the end of August 1940, Polish ground forces in Great Britain contained the 1st and 2nd Rifle Brigades, the 3rd, 4th, 5th Rifle Brigades (with key personnel only) and the Armour Unit. On September 28, by the order of the Polish Commander-in-Chief the I Corps was established.

On September 23, 1941, an "Airborne Feast" of the 4th Cadre Rifle Brigade, commanded by Colonel Stanislaw Sosnowski was held in Leven.

Józef Młynarski, **Na szkockiej ziemi.** *7 marca 1941 r. wizyta pary królewskiej w 24 pułku ułanów*

Józef Młynarski, **On the Scottish Land**. *On March 7, 1941 the Royal Couple visited the 24th Lancers Regiment.*

23 września 1941 roku w rejonie Leven odbyło się „Święto Spadochronowe" 4 Brygady Kadrowej Strzelców płk. S. Sosabowskiego. Podczas uroczystości odbyły się pokazowe ćwiczenia polskich oddziałów spadochronowych. 9 października brygada otrzymała nazwę 1 Samodzielnej Brygady Spadochronowej (1 SBSpad.). 21 sierpnia 1942 r. gen. Sikorski w rozmowie z dowódcą Home Forces zastrzegł sobie prawo „użycia Brygady Spadochronowej wyłącznie do działań na korzyść Kraju w chwili, kiedy ten podejmie jawną walkę z najeźdźcą".

W końcu września 1941 r. rozpoczęła się dyskusja nad zorganizowaniem pierwszej polskiej dywizji pancernej. Jednym z największych orędowników tej sprawy był dowódca 10 BKPanc. gen. Maczek. Memoriały pisane przez gen. Maczka zyskały poparcie NW. Wynikiem tego było zorganizowanie 25 lutego 1942 r. 1 Dywizji Pancernej (1 DPanc.).

Wiosną 1943 r. dowództwo brytyjskie, wiedząc, że nie zdoła zorganizować do czasu inwazji na kontynent odpowiedniej liczby własnych jednostek, rozpoczęło starania o przekazanie pod swoje rozkazy 1 SBSpad. Jednak wobec stanowczej postawy gen. Sikorskiego Szef Sztabu Imperialnego gen. Brooke, zgodził się na użycie brygady tylko do wsparcia powstania w Polsce, pisząc: „Nie będzie ona przewidziana do żadnej innej operacji na kontynencie". W rok później Brytyjczycy zażądali przekazania brygady do ich dyspozycji, co równało się z użyciem jej w działaniach inwazyjnych na kontynencie. Zagrożono przy tym wstrzymaniem dalszych dostaw sprzętu dla brygady. Wobec zmieniającej się sytuacji politycznej cel, dla którego brygada została utworzona, stawał się coraz mniej realny.

Po śmierci gen. Sikorskiego Naczelnym Wodzem mianowano gen. Sosnkowskiego, który rozpoczął urzędowanie od załatwienia naglącej sprawy, jaką była przystosowanie organizacji 1 DPanc. do nowych etatów brytyjskich. Skłaniało go do tego stanowisko War Office, które sugerowało, że w razie odrzucenia proponowanej reorganizacji 1 DPanc. zostanie skreślona z O. de B. 21 Grupy Armii. W kwietniu 1944 r. 1 DPanc. po otrzymaniu uzupełnień została ostatecznie zorganizowana. Stan dywizji wraz z pierwszym uzupełnieniem wynosił 885 oficerów i 15 210 szeregowych oraz 381 czołgów.

We wrześniu 1944 r. nowym Naczelnym Wodzem został komendant Armii Krajowej gen. Tadeusz Bór-

Oznaka Dowództwa I Korpusu

Badge of the 1 Corps Command

During the exhibition Polish detachments demonstrated airborne fighting techniques. On October 9, the brigade was re-designated the 1st Independent Parachute Brigade (1. Samodzielna Brygada Spadochronowa). On August 21, 1942, during a meeting with CO of the Home Forces General Sikorski reserved himself the right to: "(...) use the Parachute Brigade to fight exclusively for the benefit of the Homeland as the moment comes when it undertakes an overt fight against the invader."

In late September 1941 the idea of the Polish Armoured division was brought up. The former commander of the 10th Armoured Cavalry Brigade, General Maczek, wrote several petitions on that issue to the C-in-C. By his decision the 1st Armoured Division was formed on February 25, 1942.

In the spring of 1943, Great Britain was preparing for the invasion of Europe. As the British army did not have sufficient forces, it attempted to take over 1st Independent Parachute Brigade. After a firm objection of General Sikorski the Chief of Imperial Staff General Brooke agreed to use the brigade only to support the uprising in Poland: "The brigade will not participate in any other operation on the continent." One year later the British demanded

Czerwiec 1943 r., Haddington, czołgi 3 Szwadronu 10 PSK (ZW)

June 1943, Haddington, tanks of the 3 squadron of the 10th Mounted Rifles Regiment

Dowódca 1 Brygady Strzelców gen. Paszkiewicz z gen. dyw. M. Kukielem. 3 października dowódcą I Korpusu został mianowany dotychczasowy dowódca Obozów i Oddziałów Wojska Polskiego w Szkocji gen. Marian Kukiel. Również pozostałą obsadę dowództwa I Korpusu tworzyli oficerowie i żołnierze z Dowództwa Obozów i Oddziałów Wojska Polskiego w Szkocji (ZW)

General Paszkiewicz, Commander of the 1st Rifle Brigade, with Lieutenant General Marian Kukiel. On 3 October, General Marian Kukiel, former commander of Camps and Units of the Polish Armed Forces in Scotland, was nominated the Commander of the 1 Corps. The rest of the Corps command also consisted of officers and soldiers of the Command of Camps and Units of the Polish Armed Forces in Scotland

-Komorowski. Ze względu na jego pobyt w niewoli obowiązki zostały rozdzielone pomiędzy prezydenta, ministra obrony narodowej i szefa Sztabu Naczelnego Wodza.

5 lutego 1945 r. po wielu reorganizacjach powstała 4 Dywizja Piechoty (4 DP) oraz 16 Samodzielna Brygada Pancerna. Dzięki wysiłkowi dowódcy 4 DP płk. dypl. K. Glabisza w połowie kwietnia dywizja osiągnęła pełne stany. Ze względu na zakończenia działań wojennych w Europie 4 DP nie weszła do akcji.

Armia Polska w ZSSR 1941–1942

Dwudziestego drugiego czerwca 1941 r. wojska niemieckie napadły na ZSRR. Sytuacja ta – zdaniem gen. Sikorskiego – zmieniła dotychczasowe stosunki polsko-sowieckie. Następnego dnia NW dał temu wyraz w przemówieniu radiowym wygłoszonym do rodaków w kraju.

30 lipca w Londynie został podpisany przez gen. Sikorskiego i amb. Majskiego układ polsko-sowiecki. Układ nie zadowalał wielu polskich polityków, gdyż nie było w nim wzmianki o granicy polsko-sowieckiej z 1939 r. Wywołało to kryzys rządowy. Pełnomocnictwa do podpisania układu odmówił prezydent W. Raczkiewicz. Mimo tak silnej opozycji premier Sikorski po zrekonstruowaniu rządu wprowadził układ w życie.

W celu zawarcia umowy wojskowej do ZSRR udała się misja wojskowa z gen. Bohuszem-Szyszko. 4 sierpnia z więzienia na Łubiance został zwolniony gen. W. Anders, przewidziany przez gen. Sikorskiego na stanowisko dowódcy Armii Polskiej (AP) w ZSRR.

12 sierpnia Prezydium Rady Najwyższej ZSRR ogłosiło dekret o tzw. amnestii dla obywateli polskich pozbawionych wolności na terytorium ZSRR. Wykonanie tego dekretu napotykało od samego początku ogromne trudności. 14 sierpnia została podpisana polsko-sowiecka umowa wojskowa. W umowie zapisano, że organizowana na terenie ZSRR AP będzie stanowiła część składową PSZ. Dokument zawierał nieprecyzyjne sformułowania, co w przyszłości wielokrotnie prowadziło do nieporozumień. Dalsze rozmowy na temat formowania armii prowadzone były w dniach 16, 19, 22, 28, 29 sierpnia w Moskwie przez mieszaną komisję polsko-sowiecką. W czasie posiedzeń komisji uzgodniono między innymi, że AP będzie składała się z dwóch dywizji piechoty oraz ośrodka zapasowego. Stan AP strona sowiecka ustaliła na 25 000 żołnierzy. Dowództwo polskie uważało jednak, że na terytorium ZSRR powinno znajdować się około 1,5 mln obywateli polskich wywiezionych w latach 1939-1941 z Kresów Wschodnich, wśród nich kilkaset tysięcy mężczyzn zdolnych do noszenia broni. W skład AP w ZSRR weszły 5 i 6 DP,

Polscy pancerniacy z 10 pułku strzelców konnych 1 Dpanc. (ZW)

Polish tankers from the 10th Mounted Rifles Regiment, 1st Armoured Division

the brigade again, meaning it would be used on the continent. That time the British threatened to retain supplies for the unit. Due to the changing political situation it was improbable to use the brigade according to its original purpose.

After the death General Sikorski, General Sosnkowski became the new Commander-in-Chief. His first task was to adjust the 1st Armoured Division to the British war establishment. The British War Office argued that the division would be crossed out from the list of units of the Twenty-First Army Group unless it is adjusted to the new standards. After receiving new supplements the division was reorganized. In April 1944, the 1st Armoured Division had 855 officers, 15,210 troops and 381 tanks.

In September 1944, General Tadeusz Bór – Komorowski, the commanding officer of the Home Army, became the new C-in-C. But due to his capture his duties were divided between the president, the defence minister and the Chief of Staff of the Commander-in-Chief.

On February 5, 1945, after much reorganization the 4th Infantry Division was finally formed, together with the 16th Independent Armoured Brigade. Thanks to efforts of the infantry unit commander, Colonel Glabisz, the division had complete manpower by mid-April. But as the war in Europe ended in May 1945, the division was never sent into combat.

The Polish Army in the Soviet Union, 1941 – 1942

According to General Sikorski the German invasion of the Soviet Union on June 22, 1941, changed the Polish – Soviet diplomatic relations. He expressed that opinion in a radio address to compatriots in occupied Poland.

On July 30, General Sikorski and the Soviet ambassador in London Ivan Maisky signed the Polish – Soviet agreement. As the agreement had not settled the issue of the Polish – Soviet border from the year of 1939and therefore did not satisfy Polish officials,

Ośrodek Zapasowy Armii, przemianowany później na Ośrodek Organizacyjny Armii. Na miejsca formowania AP zostały wyznaczone: Tatiszczewo, Tockoje, Buzułuk. Do 10 września przybyło tam 983 oficerów i 21 662 szeregowych. W związku z zamiarem przygotowania 5 DP do wyjścia na front dowództwo sowieckie rozpoczęło uzbrajanie i wyposażanie dywizji. W rzeczywistości 5 DP nigdy nie otrzymała całego sprzętu przewidzianego etatem. Warto podkreślić, że 1 października NW w depeszy skierowanej do gen. Andersa pisał: „Zobowiązuję Pana Generała, by żadną miarą nie dopuścił do zmarnowania jednostek polskich formujących się w Rosji przez zbyt szybkie wysłanie ich na front. Jednostki te muszą być należycie uzbrojone, żołnierz zaś powrócić do sił i uzyskać należyte przeszkolenie bojowe".

W końcu września napływ ludzi do armii był tak duży, że wszystkie obozy zostały przepełnione i część nowo wcielonych musiała kwaterować pod gołym niebem. Stan zdrowotny ochotników przybywających z obozów pracy przymusowej był bardzo zły. Zdarzało się, że po przyjeździe transportów z ludźmi w wagonach znajdowano ciała zmarłych. Większość ochotników była ubrana w łachmany i nie miała butów.

5 października władze sowieckie ograniczyły limit wyżywienia na 30 000 porcji dziennie przy stanie armii wynoszącym 38 889 żołnierzy. 27 października z powodu trudności z zaopatrzeniem w żywność gen. Anders uczestniczył w konferencji na ten temat w Ludowym Komisariacie Obrony (LKO) w Kujbyszewie. W czasie spotkania strona polska otrzymała zapewnienie, że od 1 listopada AP będzie otrzymywała od władz sowieckich zaopatrzenie na podany przez gen. Andersa stan 44 000 ludzi. Jednak 6 listopada gen. Panfiłow powiadomił dowództwo polskie, że zgodnie z uchwałą LKO z dnia 3 listopada stan AP zostanie zmniejszony do 30 000 żołnierzy.

11 listopada gen. Anders zażądał bezwzględnego utrzymania stanu armii w liczbie 44 000. Ostatecznie 14 listopada po rozmowach ambasadora Kota ze Stalinem stan armii został ustalony na 44 000 żołnierzy.

Polscy zesłańcy. Montaż fotograficzny z epoki (ZW)

Polish exiles. A photomontage from the period (ZW)

30 listopada do Kujbyszewa przyleciał gen. Sikorski. 3 grudnia spotkał się na Kremlu ze Stalinem. Następnego dnia odbyły się polsko-sowieckie rozmowy wojskowe, w wyniku których ustalono stan armii na 96 000 żołnierzy oraz wyrażono zgodę na ewakuację 25 000 żołnierzy do Wielkiej Brytanii i na Środkowy Wschód. Ustalono, że cztery nowo organizowane polskie dywizje będą formowane na etatach brytyjskich. W wyniku rozmów moskiewskich rząd sowiecki zezwolił na przesunięcie AP na południe, ustanowienie delegatów ambasady w większych skupiskach polskich oraz obiecał zwolnić Polaków służących w batalionach roboczych. Na podstawie ustaleń z przedstawicielami Armii Czerwonej pobór do AP na terenach Kazachstanu, Uzbekistanu i Kirgizji miał się rozpocząć 20 grudnia. W rzeczywistości pobór rozpoczął się dopiero 6 lutego 1942 r.

W końcu grudnia 1941 r. władze sowieckie wyznaczyły w Kazachstanie, Uzbekistanie i Kirgizji nowe

Generał Władysław Anders (ZW)

General Władysław Anders

it became the cause of a political crisis within the Polish government. President Wladyslaw Paczkiewicz refused to authorize the treaty, but despite the opposition Prime Minister Sikorski put it into effect.

To sign a military agreement with the Soviets the Polish mission headed by General Bohusz – Szyszko flew to the Soviet Union. On August 4, General Władyslaw Anders, chosen by Sikorski to become the CO of the Polish Army in the Soviet Union was released from the Soviet prison in Lubyanka.

On August 12, the Soviet Presidium of the Supreme Council issued a decree on the so-called amnesty "for all Polish citizens in the Soviet Union deprived of their freedom." However, putting the decree in practice turned, from the beginning, an extremely difficult task. Two days later the Polish – Soviet military agreement was signed. Although the agreement stated that the Polish Army in the Soviet Union is an integral part of the Polish Armed Forces, it also had imprecise statements leading the future conflicts. Further negotiations were held by the joint Polish – Soviet commission in Moscow on August 16, 19, 22, 28 and 29. The Soviets agreed to create an army of 25,000 men with two infantry divisions and a replacement centre. The army was organized into the 5th and 6th Infantry Divisions and the Army Replacement Centre later re-designated the Army Organization Centre. However, the Polish command estimated that there should be about 1,500,000 Polish citizens from the Polish eastern frontier, who were deported into the Soviet Union till 1941. By September 10, 983 officers and 21,662 troops arrived in the Polish recruitment centres of Tatishchevo, Tockoje, and Buzuluk. As the Soviet command intended to deploy the 5th Infantry Division to the front line, it was armed and equipped. However, the division never received the planned equipment. It is worth mentioning that General Sikorski aware of that fact wrote on October 1, to General Anders: "I oblige you, General to prevent the waist of the Polish forces in Russia resulting from deploying them too soon to the front, unless they are well combat trained, completely equipped and in full strength."

By the end of September army camps were overcrowded and new recruits had to sleep rough. Men arriving from the forced labour camps were in poor health and dresses in rags. Some men were found dead in transportation wagons.

On October 5, the Soviet authorities limited food ration for the Polish Army of 38,889 men, to only 30,000 per day. During a meeting on supplies for the Polish Army, held on October 27 in the People's Defence Commissariat in Kuibyshev, General Anders was assured that from November 1, he would be receiving supplies for 44,000 men. However on November 6, the Soviet General Panifilov notified the Polish command that by the November 3 resolution of the People's Defence Commissariat, the Polish Army manpower is decreased to 30,000 men.

On November 11, General Anders rejected the resolution and absolutely demanded maintaining 44,000-menpower. Ultimately, after the negotiations of the Polish ambassador Stanislaw Kot with Stalin on November 14, the Polish Army was restored to the desired strength of 44,000 men.

Nagan **wz.1895**

The Nagant **1895 Type** *revolver*

miejsca postoju dla AP. Od 15 stycznia do 25 lutego 1942 r. trwało przesunięcie oddziałów polskich do republik azjatyckich. W czasie transportu wielu żołnierzy zmarło. Po przybyciu do nowych miejsc postoju okazało się, że warunki zakwaterowania, wyżywienia oraz epidemiologiczne były jeszcze gorsze niż w poprzednich rejonach.

2 lutego gen. Anders został powiadomiony przez mjr NKWD Żukowa, że rząd sowiecki uważa za wskazane wysłanie na front 5 DP. Dowódca AP nie zgodził się na te żądania ze względu na stan uzbrojenia 5 DP (zupełny brak artylerii plot. i broni przeciwpancernej). Gen. Anders oświadczył: „proszę zakomunikować rządowi sowieckiemu, że osobiście jestem stanowczo przeciwny temu. Nie widzę w realizacji projektu wysłania na front jednej dywizji nic dodatniego, a na odwrót wszystko ujemne". O zaistniałej sytuacji gen. Anders poinformował NW. 6 lutego gen. Sikorski w depeszy do gen. Andersa napisał: „W żadnym wypadku nie mogę się zgodzić na użycie pojedynczych dywizji w miarę osiągania gotowości bojowej, co zostało wyraźnie zastrzeżone w czasie konferencji na Kremlu".

Znaczne trudności przy organizacji armii sprawiał brak dostatecznej liczby oficerów. Poszukiwania oficerów, którzy znajdowali się po kampanii wrześniowej 1939 r. w obozach w Kozielsku, Starobielsku i Ostaszkowie nie przyniosły rezultatu (groby kilku tysięcy z nich zamordowanych przez Sowietów odkryto w 1943 r. w Katyniu).

6 marca 1942 r. gen. Anders został powiadomiony przez szefa tyłów Armii Czerwonej gen. Chrułowa o ograniczeniu przydzielanych armii racji żywnościowych do 26 000 porcji dziennie. 18 marca gen. Anders został przyjęty przez Stalina. W czasie spotkania uzyskał zgodę na zwiększenie racji żywnościowych do 44 000 porcji. Nadwyżka żołnierzy ponad tę liczbę miała być ewakuowana do Persji. W okresie od 24 marca do 4 kwietnia przez Krasnowodzk ewakuowano do Persji 33 069 żołnierzy oraz 10 789 osób cywilnych, w tym 3000 dzieci. W całości opuściły ZSRR zawiązki 8, 9, 10 DP, broni pancernej, 1 PUł. oraz nadwyżki 6, 7 DP i Ośrodka Organizacyjnego Armii. Po pierwszej ewakuacji na terenie Związku Sowieckiego pozostało jeszcze 40 508 żołnierzy.

W dniu 5 kwietnia po likwidacji polskich placówek wojskowych w terenie rekrutacja do wojska została praktycznie wstrzymana. Równocześnie obywatele polscy otrzymali zakaz podróżowania bez odpowiedniego zezwolenia.

Mundur zimowy gen. Władysława Sikorskiego, Naczelnego Wodza Polskich Sił Zbrojnych na Obczyźnie

Winter uniform of General Władysław Sikorski, Commander-in--Chief of the Polish Armed Forces in exile

Later that month, on November 30, General Sikorski arrived in Kuybyshevo, the Soviet Union, and on December 3, he participated in the meeting with Stalin on the Kremlin, Moscow. The outcome of the following negotiations was the increase of the Polish Army to 96,000 men and the permission to evacuate 25,000 troops to Great Britain and to the Middle East. Moreover, it was stated that four new Polish infantry divisions would be formed according to the British war establishment. Consequently, the Polish Army was moved southward, embassy delegates were sent to the Polish societies and Poles from the Soviet labour battalions were dismissed from the military service. According to the agreements, the draft into the Polish Army in Kazakhstan, Uzbekistan and Kirgizia was to begin on December 20, but it ultimately began on February 6, 1942.

In late December 1941 Soviet authorities designated Kazakhstan, Uzbekistan and Kirgizia as the staging area for the Polish troops. Between January 15 and February 25 many soldiers died during the transfer to the Asian republics. In terms of sanitary conditions the new staging area was even worse than the previous one.

On February 2, an NKVD Major Zukov notified General Anders that the Soviet government thought that deploying the 5th Infantry Division to the front line is advisable. The Polish general rejected that request as the division lacked sufficient amount of weapons, especially antiaircraft artillery and antitank weapons. Anders stated: "Please inform the Soviet government that I firmly oppose that idea. I do not see any benefit resulting from sending one division to the front line. All I see are drawbacks." Moreover, Anders immediately informed the Polish C-in-C about the Soviet plans. On February 6, Sikorski wrote to Anders: "Under no circumstances can I agree to deploy single divisions as they are attaining the state of combat readiness. That has been clearly stated during the Kremlin Conference. "

The delay in organizing the Polish Army was mainly caused by the insufficient amount of officers. The search for officers from the September 1939 campaign held in the Soviet prison camps in Kozelsk, Starobelsk and Ostashkov turned out

Przełomem w dziejach AP w ZSRR była zwołana na 3 czerwca do Jangi-Jul odprawa dowódców wielkich jednostek. Gen. Anders wśród wielu spraw poruszył temat ewakuacji pozostałej części armii. Na pytanie sowieckiego przedstawiciela płk. Tiszkowa: „Czy żołnierze będą bili się chętnie na innych frontach ?". Dowódca armii odpowiedział: „zapewniam, że tak. I tu, i tam z Niemcami".

7 czerwca gen. Anders wysłał do NW depeszę Nr 701, w której pisał: „Nasza sytuacja wojskowa tutaj zbliża się ku katastrofie. [...] Żołnierze głodują, mam już kilkanaście procent kurzej ślepoty. Nie ma żadnej nadziei na polepszenie, odwrotnie, położenie pogarsza się stale. [...] Wskutek go morale wojska utrzymuje się wyłącznie nadzieją wyjścia z ZSRR i wielką narodową dyscypliną".

W tym okresie toczyły się brytyjsko-sowieckie rozmowy na temat ewakuacji polskich dywizji do Persji. Brytyjczycy, obawiając się niemieckiej ofensywy przez Kaukaz w kierunku pól naftowych w Persji i Iraku, zwrócili się do Sowietów z propozycją umożliwienia ewakuacji AP z ZSRR do Persji. Strona brytyjska uważała, że w obecnej sytuacji znajdujące się w ZSRR polskie dywizje nie zostaną uzbrojone, a ewakuacja stworzyłaby taką możliwość. Wynik negocjacji był pomyślny dla sprawy polskiej. W końcu czerwca Mołotow przekazał ambasadorowi brytyjskiemu w Moskwie informację, że władze sowieckie przyjęły postulaty Churchilla o przekazaniu do dyspozycji brytyjskiej znajdujących się w ZSRR jednostek polskich. W jednej z depeszy wysłanych w lipcu do Stalina premier Churchill pisał: „Jestem pewien, że leży w naszym wspólnym interesie, aby trzy dywizje polskie, które Pan łaskawie zaofiarował, połączyły się ze swoimi rodakami w Palestynie, gdzie mamy możność w pełni je uzbroić".

W dniu 2 lipca brytyjski MSZ powiadomił min. E. Raczyńskiego, że otrzymał oświadczenie Stalina

Gen. Anders z wizytą w 6 DP, za nim gen. M. Tokarzewski (ZW)

General Anders inspects the 6th Infantry Division, General Tokarzewski is behind him

W drodze do Persji (ZW)

On the route to Persia

ZSRR 1941 r. Sztab Armii Polskiej w ZSRR. Dowódca Armii gen. Władysław Anders z szefem Sztabu płk. dypl. Leopoldem Okulickim (ZW)

The Soviet Union, 1941. Headquarters of the Staff of the Polish Army in the USSR, the Commander-in-Chief General Władysław Anders (right) with the Chief of Staff, Colonel Okulicki

to be fruitless. Graves of thousands Polish officer murdered by the Soviets in the spring of 1940 were found in Katyn not until 1943.

On March 6, 1942 the Soviet General Chrulov informed General Anders that food rations for the Polish Army were decreased to 26,000 per day. During a meeting with Stalin, on March 18, General Anders negotiated 44,000 food rations and agreed to evacuate the surplus troops to Persia. Between March 24 – April 4, 33,069 men of the 8th, 9th, 10th Infantry Divisions, armour troops, the 1st Lancers Regiment, surplus troops from the 6th and 7th Infantry Divisions and the Army Organization Centre were transferred from the Soviet Union through Krasnowodzk. Along with the troops 10,789 civilians, including 3,000 children, were evacuated. Nevertheless, 40,508 troops remained in the Soviet Union after the first stage of the evacuation.

On April 5, after the Polish recruitment centres were shut down, the recruitment was stopped and Polish citizens were forbidden to travel without proper authorization.

A breakthrough moment for the Polish Army took place on June 3. On that day General Anders participated in a conference of high commanders 10. in Jangi Jul. During that meeting he brought up the

Marzec 1942 r. Pierwsza ewakuacja Armii Polskiej z ZSRR (ZW)

First evacuation of the Polish Army from the Soviet Union

Ćwiczenia Armii Polskiej w Iraku (ZW)

Soldiers of the Polish Army in Iraq on training

wyrażające zgodę na ewakuację trzech polskich dywizji z ZSRR do Persji. 26 lipca do dowództwa AP w Jangi-Jul nadeszło pismo podpisane przez mjr. NKWD Żukowa, w którym czytamy: „Rząd ZSRR zgadza się uczynić zadość staraniom dowódcy AP w ZSRR gen. dyw. Andersa o ewakuację oddziałów polskich z ZSRR na teren Bliskiego Wschodu i nie ma zamiaru stawiać jakichkolwiek przeszkód w natychmiastowym urzeczywistnieniu ewakuacji".

Drugą ewakuację rozpoczęto 5, a zakończono 25 sierpnia. W tym czasie ewakuowano 44 832 żołnierzy i 25 457 osób cywilnych. Na terenie ZSRR pozostały jedynie polskie biura wojskowe, ale i one wkrótce opuściły ten kraj. W sumie w marcu i sierpniu zostało ewakuowanych do Persji 116 543 ludzi, wśród nich 78 631 żołnierzy.

Wojsko Polskie na Środkowym i Bliskim Wschodzie 1942-1943

Już po pierwszej ewakuacji gen. Sikorski w końcu kwietnia 1942 r. rozkazał utworzyć na Środkowym Wschodzie korpus pod dowództwem gen. J. Zająca (dowódca Wojska Polskiego na Środkowym Wschodzie). W dniu 3 maja w Quastina w Palestynie z połączenia przybyłych z ZSRR 9 i 10 DP z SBSK utworzono 3 Dywizję Strzelców Karpackich (3 DSK) pod dowództwem gen. Kopańskiego. W lipcu 1942 r. gen. Auchinleck postanowił przesunąć miejsce dotychczasowej koncentracji polskich jednostek z Palestyny do północnego Iraku.

12 września gen. Sikorski zatwierdził organizację Armii Polskiej na Wschodzie (APW), znosząc wszystkie istniejące dotychczas nazwy. Dowódcą armii został gen. Anders, zastępcą gen. Zając. Od tego momentu w skład armii wchodziły 3, 5, 6 i 7 Dywizje Piechoty.

Irena Sikora-Korecka, **Władysław Sikorski.** *Po śmierci Naczelnego Wodza gen. Sikorskiego nie było wśród władz Rzeczypospolitej na Uchodźstwie osoby o jego autorytecie*

Irena Sikora-Korecka, **Władysław Sikorski.** *After General Władysław Sikorski was killed in an air-crash, no one of his authority was left in the Polish government in exile*

issue of evacuating the rest of the Polish troops. To the question of the Soviet representative, Colonel Tishkov: "Will Polish soldiers fight so eagerly on other fronts?" Anders answered: "I assure you they will. Both here and there."

On June 7, the poor state of the Polish Army was described by General Anders in his telegram no. 701 to he C-in-C: "Our situation is tragic. (...) My men are starving and a dozen or so per cent have night blindness. Our situation is deteriorating gradually. Our morale is maintained only by the hope to move out of the Soviet Union and the national discipline."At that time the German forces advanced deep into the Soviet Union, thus posing a direct threat to the British oil fields across the Caucasus. The British leadership afraid of the German offensive negotiated transferring the Polish troops from the Soviet Union to Persia. The British argued that the Polish forces had few chances in the Soviet Union to be properly armed. The outcome of the negotiations was in favour of the Polish. In late June Molotov transferred the British ambassador the information that Soviet authorities to satisfy Churchill's requests to render the Polish troops available. In one of his telegrams to Stalin, Churchill wrote: "I am certain that it is in our best interest to sent the three Polish divisions, you have kindly offered, to Palestine to re-join them with their compatriots and arm them properly."

On June 2, the British Foreign Office notified Edward Raczyński, the Polish foreign minister, that it received Stalin's permission to transfer three Polish divisions to Persia. On June 26, the NKVD major Zhukov wrote to the Polish command in Jangi-Jul: "The Soviet government is willing to satisfy General Anders' requests to evacuate the Polish forces to the Middle East without any further delay and problems."

The second stage of the Polish evacuation lasted between August 5 – 25. Until that day 44,832 men and 25,457 civilians were evacuated. Even the Polish military offices were closed in the Soviet Union. During the evacuation process in March and August 116,543 people, including 78,631 troops were transferred to Persia.

The Polish Army in the Middle East, 1942 – 1945

Just after the first stage of evacuation from the Soviet Union, General Sikorski ordered in late April 1942, the formation of the Polish corps in the Middle East, under the command of General Józef Zając. On May 3 in Quastina, Palestine, the 9th and 10th Infantry Divisions from the Soviet Union and the Independent Carpathian Rifle Brigade were linked into the 3rd Carpathian Rifle Division under the command of General Kopański. In July 1942, the British general Auchinleck, re-designated the Polish staging area to northern Iraq.

On September 12, General Sikorski approved the formation of the Polish Army in the East, but abol-

Marzec 1944 r. Gen. Anders podczas narady z dowódcą 8 Armii gen. Leese, obok dowódca 3 DSK gen. Duch (ZW)

Italy, March 1944. General Anders confers with General Leese, commander of the British 8th Army. Next to them General Duch, commander of the Carpathian Rifle Division

Obszarem koncentracji APW w Iraku wyznaczonym przez dowództwo brytyjskie stał się rejon Khanaquin – Qizil Ribat położony w dorzeczu rzeki Tygrys na kamienistej pustyni w odległości około 140 kilometrów na płn-wsch. od Bagdadu. W planach Paiforces (Persian and Iraq Force) APW otrzymała zadanie obrony przełęczy górskich od strony perskiej oraz ochrony pól naftowych w północnym Iraku.

Po pierwszym okresie wyszkoleniowym gen. Anders w porozumieniu z NW postanowił zreorganizować armię, dostosowując jej organizację do istniejących stanów osobowych. W armii pozostały 3 DSK, 5 Kresowa Dywizja Piechoty (5 KDP); 2 Brygada Czołgów oraz 7 DP o zredukowanych stanach.

27 maja 1943 r. w Kairze wylądował samolot z gen. Sikorskim na pokładzie. 8 czerwca odbył się przegląd APW. Po zakończeniu inspekcji Naczelny Wódz nakazał wyłonienie z APW związku taktycznego, który otrzymał nazwę 2 Korpusu.

W czasie powrotu 4 lipca gen. Sikorski zginął w katastrofie lotniczej w Gibraltarze.

21 lipca weszła w życie nowa organizacja APW. Tego samego dnia gen. Anders otrzymał z dowództwa Paiforces rozkaz przesunięcia oddziałów polskich do Palestyny. W tym samym czasie dowódca Middle East gen. Wilson zawiadomił dowódcę APW, że 2 Korpus ma osiągnąć gotowość bojową 1 stycznia 1944 r. 7 grudnia 1943 r. zapadła ostateczna decyzja wysłania 2 Korpusu do Włoch. Po opuszczeniu przez 2 Korpus Egiptu pozostało tam Dowództwo Jednostek Wojska na Środkowym Wschodzie pod dowództwem gen. M. Karaszewicza-Tokarzewskiego, a następnie gen. J. Wiatra.

Działania bojowe 2 Korpusu Polskiego w kampanii włoskiej

Dwudziestego pierwszego marca 1944 r., gdy dobiegała końca trzecia bitwa o Monte Cassino, dowodzący brytyjską 8 Armią gen. Leese zaproponował dowódcy 15 Grupy Armii wprowadzenie do walki w czwartej bitwie pozostającego dotychczas w odwodzie polskiego 2 Korpusu.

24 marca w rozmowie z gen. Andersem gen. Leese powiedział, że w jego planach 2 Korpus miałby za zadanie przełamanie niemieckich pozycji w rejonie masywu Monte Cassino – zdobycie klasztoru i miejscowości Piedimonte. 8 kwietnia w czasie spotkania z dowódcą 8 Armii gen. Anders powiedział: „Korpus

Stanowisko bojowe 3 DSK pod Monte Cassino (ZW)

Combat post of the 3rd Carpathian Rifle Division at Monte Cassino

ished all unit designations. General Anders became the CO of the Polish Army and Józef Zając became his executive officer. From that day the Polish Army in the East consisted of the 3rd, 5th, 6th and 7th Infantry Divisions.

The area of Khanaquin-Qizil Ribat in the Tigris basin, 140 kilometres northeast of Baghdad, was designated the Polish staging area. The Persian and Iraq Force, Paiforces, war plan anticipated the Polish Army in the East defend the Caucasus mountain passes and oil fields in northern Iraq.

During the first training period, General Anders with the C-in-C's permission decided to reorganize the army to adapt it to the existing manpower. Soon the Polish Army in the East consisted of the 3rd Carpathian Rifle Division, the 5th Kresowa Infantry Division (5. Kresowa Dywizja Piechoty), the 2nd Tank Brigade and the 7th Infantry Division.

On May 27, 1943 General Sikorski arrived in Cairo, where he inspected the Polish Army in the East on June 8. During his stay in Egypt the C-in-C ordered to select a tactical unit from the army. The unit was to be designated the 2nd Corps.

General Sikorski was killed in midair accident on July 4 in Gibraltar.

On July 21, a new organization plan for the Polish Army in the East was introduced. By the British order, Polish forces were to move to Palestine. Moreover, the British Middle East commander Henry Maitland Wilson ordered General Anders to be in combat readiness by January 1, 1944. On December 7, 1943 the decision to send the 2nd Polish Corps to Italy was made. After the corps left, the Polish Army Middle East Command commanded by General Karaszewicz-Tokarzewski, and later on by General Wiatr, remained in Egypt.

The 2nd Corps in Italy

At the end of the third battle of Monte Cassino, on March 21, 1944, the commander of the British Eighth Army, General Leese, suggested the CO of the 15th Army Group deploying the Polish 2nd Corps in the incoming battle. Till that day the Polish corps was held in reserve. On March 24, 1944, General Anders was told that his corps was to break through the German lines at Monte Cassino and capture the monastery and the town of Piedimonte. During a meeting with the Eighth Army commander, on April 8, Anders was told: "The Polish corps is to clear the road to Rome. Therefore, it is imperative that Polish troops capture Monte Cassino and enable the bulk of

Gen. Anders w sztabie 3 Dywizji Strzelców Karpackich w rozmowie z jej dowódcą gen. Duchem (ZW)

General Anders with the staff of the 3rd Carpathian Rifle Division conferring with its commander, General Duch

polski ma otworzyć drogę do Rzymu, aby to zrobić, musi zdobyć kompleks Monte Cassino, gdyż tylko w ten sposób siły główne będą miały możność wyjścia w dolinę rzeki Liri i nawiązania styczności z linią obrony Hitlera". W nocy z 23 na 24 kwietnia oddziały 2 Korpusu rozpoczęły luzowanie brytyjskiej 78 DP. W skład 2 Korpusu wchodziły: 3 DSK (gen. Duch), 5 KDP (gen. N. Sulik), 2 BPanc.(gen. B. Rakowski) oraz 2 Grupa Artylerii. Stan korpusu wynosił: 2978 oficerów i 43 021 szeregowych.

Czwarta bitwa o Monte Cassino rozpoczęła się 11 maja. O godz. 23.45 brytyjski XIII Korpus rozpoczął forsowanie rzek Rapido i Gari. Natomiast na odcinku 2 Korpusu natarcie rozpoczęło się później. W pasie działania 5 KDP natarcie na Widmo jako pierwsze rozpoczęły oddziały 5 WBP. O godz. 01.00 do walki ruszył 15 batalion, który miał opanować południową część Widma i nacierać dalej na wzg. 575. W 20 minut później do akcji wszedł 13 batalion, którego zadaniem było opanowanie północnej części Widma, a następnie wzg. S. Angelo. Po zajęciu Widma przez bataliony pierwszego rzutu do natarcia miał wyruszyć 18 batalion z 6 LBP. Przeciwnikiem oddziałów polskich była 1 DSpad. i 5 DGórska. W związku z kryzysem, jaki powstał na odcinku natarcia 5 KDP na Widmo, gen. Sulik wysłał w celu objęcia dowodzenia nad całością natarcia swego zastępcę płk. dypl. K. Rudnickiego, który nakazał wycofać i uporządkować walczące na Widmie 13 i 15 bataliony.

Równocześnie z natarciem 5 KDP do akcji weszły bataliony 1 BSK. Na lewym skrzydle 2 batalion miał opanować wzg. 593 i 569, a na prawym 1 batalion zdobyć Gardziel. W początkowej fazie natarcia 2 batalion opanował wyznaczone wzgórza. Przed południem nieprzyjaciel odbił wzg. 593 i 569. Nie powiodło się także natarcie 1 batalionu, który nie opanował Gardzieli pomimo wsparcia przez szwadron czołgów 4 PPanc.

W godzinach popołudniowych 12 maja dowódca 8 Armii nakazał przerwanie dalszego natarcia 2 Korpusu. Gen. Leese uznał, że 2 Korpus wykonał swój cel operacyjny, gdyż ściągnął na siebie większość ognia niemieckiej artylerii stojącej w dolinie rzeki Liri oraz przez związanie niemieckich odwodów umożliwił XIII Korpusowi utworzenie przyczółka na rzece Rapido. Wznowienie działań

Maj 1944 r., Monte Cassino. Widok z klasztoru na ruiny miasta Cassino (ZW)

May 1944, Monte Cassino. Bird's eye view from the monastery on the ruined town of Cassino (ZW)

the Allied forces to reach the Liri River valley and engage the Germans along the Hitler Line." In the night from April 23/24 the 2nd Corps consisting of General Duch's 3rd Carpathian Rifle Division, the 5th Kresowa Infantry Division, commanded by General Sulik, the 2nd Armoured Brigade, commanded by General Rakowski and the 2nd Artillery Group. 2,978 officers and 43,021 troops altogether, began to relieve the British 78th Infantry Division.

The fourth battle of Monte Cassino began on May 11. While the British XIII Corps began to cross the Rapido and Gari rivers at 11.45 p.m, the Polish corps was on standby. The 5th Wileńska Infantry Brigade, 5th Kresowa Infantry Division was the first unit to start the attack. On May 12, at 1 a.m. the Polish 15th Battalion began the assault on the southern part of the target, designated the "Phantom Ridge" in order to move on the hill 557. The northern part of the "Phantom Ridge" was attacked twenty minutes later by the 13th Battalion on its way to the San Angelo hill. After the capture of the "Phantom Ridge" the 18th Battalion from the 6th Lwów Infantry Brigade began its attack. The German defenders, the 1st Parachute Division and the 5th Mountain Division, threatened the Polish 5th Kresowa Infantry Division's assault. The divisional second-in-command Colonel Klemens Rudnicki was sent to take over the command over the fighting 13th and 15th Battalions.

Along with the 5th Kresowa Infantry Division attacked battalions of the 1st Carpathian Rifle Brigade. Its 2nd Battalion was to secure the 593 and 569 hills on the left flank and 1st Battalion was to capture the "Gardziel" ("Throat"). After the initial success of the 2nd Battalion, the Germans managed to retake the hills. Despite the support of the 4th Armoured Regiment, the 1st Battalion also failed to achieve its goals.

In the afternoon on May 12, General Leese ordered the 2nd Corps to stop its attack. According to the British general, the 2nd Polish Corps completed its operation objectives by drawing the German artillery fire, thus enabling the British XIII Corps establishing a bridgehead on the Rapido River. The resumption of the 2nd Polish Corps advance depended on the success of the XIII Corps, which due to exhaustion of units participating in the first stage of the attack had to deploy the previously relieved 78th Infantry

przez 2 Korpus było uzależnione od powodzenia natarcia XIII Korpusu, który na skutek wyczerpania jednostek biorących udział w pierwszej fazie walk musiał wprowadzić do akcji znajdującą się w drugim rzucie brytyjską 78 DP. Gen Leese uważał, że polski korpus może wejść do akcji dopiero wtedy, gdy jednostki XIII Korpusu rozpoczną natarcie z linii Pytchley w kierunku drogi Nr 6.

Ostatecznie drugie natarcie wyznaczono na 17 maja. Na odcinku 5 KDP walka rozpoczęła się wypadem jednej kompanii 16 batalionu na północny grzbiet Widma. Powodzenie tej akcji zachęciło dowódcę natarcia płk. Rudnickiego do wprowadzenia do walki całego batalionu. O godz. 23.00 16 maja północna część Widma została zajęta przez 16 batalion. W dniu 17 maja o godz. 7.15 15 batalion opanował część południową wzgórza. Gen. Sulik, obawiając się, że po opanowaniu Widma biorące udział w walkach bataliony nie będą już zdolne do wysiłku, postanowił skierować na wzg. S. Angelo 17 batalion, a następnie 13 batalion oraz grupę mjr. Smrokowskiego. Po kilku godzinach walk 17 batalion zdobył Małe S. Angelo, natomiast zajęcie wzg. S. Angelo nie powiodło się. O godz. 10.00 Niemcy przypuścili silny kontratak na pozycje 17 batalionu. Idący za nim 13 batalion znalazł się również na Małym S. Angelo, także jego ataki na S. Angelo nie przyniosły oczekiwanego rezultatu. Do godz. 17.00 Małe S. Angelo udało się całkowicie opanować. Wprowadzony do walki w godzinach popołudniowych 18 batalion rozpoczął swoje natarcie od likwidacji niezdobytych jeszcze na Widmie bunkrów. Pomimo ataków wszystkich biorących udział w natarciu oddziałów 5 KDP opanowano tylko północne stoki wzg. S. Angelo.

W dniu 17 maja na odcinku 3 DSK do walki została wprowadzona 2 BSK. Zadaniem brygady było przełamanie niemieckiej obrony i zajęcie wzg. 593 i 569 oraz przy pomocy czołgów 4 PPanc. związanie i obezwładnienie niemieckich oddziałów na Massa Albaneta. Do walki ruszył 4 batalion, który po ciężkich walkach wszedł na wzg. 593 i rozpoczął likwidację niemieckich bunkrów. Za nim do akcji wszedł 5 batalion. Rano 18 maja wzg. 593 i 569 zostały opanowane. W tym samym czasie 6 batalion

Włochy 1945 r., San Benedetto. Gen. bryg. Nikodem Sulik i brygadier E. H. C. Frith (ZW)

Italy 1945, San Benedetto. Major general Nikodem Sulik and Brigadier general H. C. Firth (ZW)

przy wsparciu czołgów 4 PPanc. walczył w Gardzieli i opanował Massa Albaneta. Z przekazanych do sztabu 3 DSK meldunków wynikało, że opór niemiecki był słaby. W związku z tym gen. Duch rozkazał wysłanie na wzgórze klasztorne grupy szturmowej. O godz. 09.30 do opuszczonego przez Niemców klasztoru wkroczył patrol 12 PUł.Podolskich, który zawiesił na ruinach klasztoru proporczyk pułkowy. Następnie na murach zawisła biało-czerwona flaga. Wkrótce z rozkazu gen. Andersa obok polskiej flagi zawieszono flagę brytyjską.

O godz. 16.20 18 maja rozpoczęło się natarcie 5 KDP na S. Angelo. Mjr L. Gnatowski dowodzący tą akcją podzielił atakujące oddziały na dwie grupy: pierwszą stanowili komandosi, a drugą pododdziały 15, 17, 18 batalionów oraz kompania z nowo

Maj 1944 r. Po bitwie żołnierze 3 DSK na tle ruin klasztoru (ZW)

May 1944. A group of soldiers of the 3rd Carpathian Rifle Division; behind them ruins of the Monte Cassino monastery

Division. General Leese planned that the units of the 2nd Polish Corps would attack only after the British XIII Corps began its attack from Pytcheley toward road no. 6.

The second stage of the Polish attack was planned on May 17. The successful sortie of one company from the 16th Battalion, 5th Kresowa Infantry Division, to the northern sector of the "Phantom Ridge" convinced Colonel Rudnicki to deploy the whole battalion. The northern sector was secured at 11 p.m. on May 16. On May 17, at 7.15 a.m. the 15th Battalion secured the southern sector of the "Phantom Ridge". In order to continue the attack General Sulik sent the 17th, 13th Battalions and major Smrokowski's units to secure the San Angelo hill. After a few hours of heavy fighting the 17th Battalion managed to take the Little San Angelo hill. However, a strong German counterattack, launched at 10 a.m., on the hill prevented the 17th and 13th Battalions to capture the San Angelo hill. Moreover, the Little San Angelo hill was not cleared till 5 p.m. The 18th Battalion deployed in the afternoon began its assault from clearing the German bunkers on the "Phantom Ridge." Despite heavy fighting throughout the day the 5th Kresowa Infantry Division managed to capture only the northern side of the San Angelo hill.

On May 17, its objectives to complete had the 2nd Brigade from 3rd Carpathian Rifle Division. the brigade was to take 593 and 569 hills and with the support of the 4th Armoured Regiment clear the Massa Albaneta massif. After heavy fighting the 4th Battalion captured the hill 593 and cleared the enemy bunkers. With assistance of the 5th Battalion, 593 and 569 hills were secured by the morning on May 18. Meanwhile, the 6th Battalion and the supporting armour from the 4th Armoured

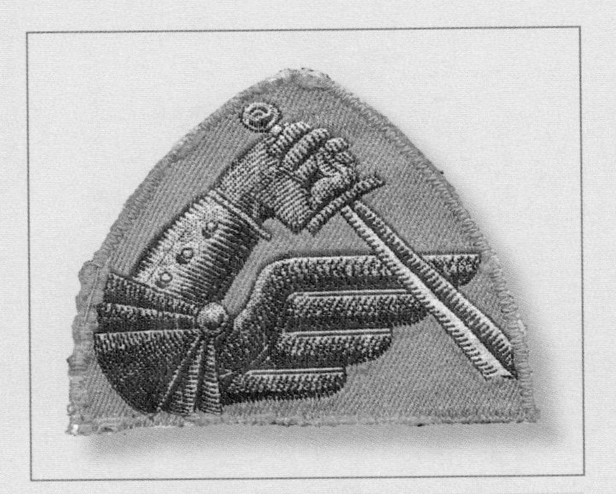

Oznaka 2 BPanc. W końcowej fazie wojny 2 BPanc. została rozwinięta w 2 Warszawską DPanc.

Badge of the 2nd Armoured Brigade

utworzonego półbatalionu. Po ciężkich walkach dopiero o godz. 17.45 komandosi opanowali prawie całe S. Angelo. W nocy z 18 na 19 maja płk Rudnicki zarządził wysłanie patroli na atakowane w ciągu dnia i niezdobyte wzgórza. Informacje uzyskane od nich wskazały na to, że oddziały niemieckie opuściły zajmowane rejony, pozostawiając jedynie niewielkie grupy osłonowe. W dniu 19 maja o godz. 7.10 15 batalion zajął wzg. 575 i Winnicę. Na wzg. 575 nastąpiło spotkanie z patrolami 3 DSK.

Rankiem 19 maja cały masyw Monte Cassino był w rękach polskich. Sukces 2 Korpusu polegał na umożliwieniu XIII Korpusowi wejścia w dolinę rzeki Liri bez obawy, że północne skrzydło korpusu mogło zostać zaatakowane przez nieprzyjaciela z rejonu masywu Monte Cassino.

Tego dnia gen. Sulik wydał rozkaz, w którym nakazywał: po zajęciu S. Lucia uderzyć i opanować Piedimonte. Równocześnie dowódca 6 LBP otrzymał zadanie opanowania wzg. Pizzo Corno. Po zajęciu tego wzgórza 6 LBP miała patrolami 15 PUł. Poznańskich przeprowadzić rozpoznanie przeciwległych stoków wzgórza oraz wysłać patrole na Monte Cairo.

23 maja rozpoczęło się natarcie 8 Armii na linię Hitlera. W działaniach wziął udział kanadyjski I Korpus i dywizja z XIII Korpusu. 24 maja po ciężkich walkach Piedimonte zostało opanowane przez polską Grupę „Bob". Następnego dnia 15 PUł. zajął wzg. 912 i Pizzo Corno. Wieczorem tego samego dnia opanował Monte Cairo. 25 maja linia Hitlera została przełamana. Straty 2 Korpusu w bitwie o Monte Cassino wyniosły 923 poległych, 2931 rannych.

Po krótkim odpoczynku dowódca 8 Armii nakazał gen. Andersowi pościg za nieprzyjacielem wzdłuż wybrzeża Adriatyku oraz „opanowanie i zapewnienie otwarcia portu w Ankonie, który stał się niezbędny ze względów gospodarczych". Od 17 czerwca 3 DSK rozpoczęła pościg wzdłuż szosy Nr 16. 21 czerwca 1 BSK dotarła do rzeki Chienti. Dwa dni później do rzeki doszła 2 BSK. Nad Chienti ciężkie walki trwały od 21 do 30 czerwca. W dniach od 1 do 16 lipca w ramach działań na Ankonę 3 DSK i 2 BPanc. po zaciętych walkach sforsowały na prawym skrzydle korpusu rzekę Musone. W tym samym czasie 5 KDP przed przekroczeniem rzeki Musone opanowała Filottrano, a następnie wzg. Centofinestre i m. S. Biagio. 10 lipca 5 KDP sforsowała rzekę Musone i mogła nawiązać łączność z 3 DSK. Niemiecka obrona pękła, gdy 5 KDP opanowała miejscowość Montoro.

2 Korpus przed przystąpieniem do głównej bitwy o Ankonę rozciągnięty był na przestrzeni 60 kilometrów, w tym 40 kilometrów było w styczności z nieprzyjacielem. Zaangażowano w pierwszej linii wszystkie jednostki korpusu.

17 lipca 2 Korpus rozpoczął natarcie na Ankonę. Po południu 15 batalion z 5 WBP opanował M. della Crescia. Umożliwiło to 2 BPanc. wykonanie manewru oskrzydlającego i wyjście na tyły jednostek niemieckich broniących rejonu Ankony. W walkach 1 PUł. Krechowieckich wraz kompanią komandosów zdobył Casa Nuova. W dalszej części natarcia brytyjski 7 PHuz. opanował grzbiet Montecchio, a 6 PPanc. zajął Croce di S. Vincenzo. O świcie 18 lipca 15 batalion zajął bez walki Offagna. Tego dnia oddziały 6 BP dotarły do rzeki Esino, opanowując Chiaravalla, gdzie został utworzony przyczółek. W tym czasie 2 BPanc. osiągnęła brzeg morza. W ten sposób Ankona został odcięta od północnego zachodu. 18 lipca o godz. 14.30 jako pierwszy do Ankony wkroczył PUł.Karpackich. Port w Ankonie dostał się w ręce polskie niezniszczony. Straty 2 Korpusu wyniosły:

Dekoracja gen. Zygmunta Bohusza-Szyszko, zastępcy dowódcy 2 Korpusu Polskiego przez dowódcę 15 Grupy Armii marsz. Harolda Alexandra (ZW)

General Zygmunt Bohusz-Szyszko, second-in- command of the 2nd Polish Corps, is decorated by General Harold Alexander, commander of the 15th Army Group

Regiment fought in the "Gardziel" and secured the Massa Albaneta massif. As the German resistance was weak, General Duch sent an assault group on the monastic hill. At 9.30 a.m. a patrol from 12th Podolia Lancers Regiment entered the abandoned monastery. The regimental pennant and the Polish national flag were flown in the ruins of the monastery. By the order of General Anders, the British flag was also flown.

In the afternoon (4.20 p.m.) on May 18, the 5th Kresowa Infantry Division launched another attack on the San Angelo hill. The assault group was divided Major Gnatowski into: the Commandos as one assault group and the 15th, 17th and 18th Battalions and one company as the other. After heavy fighting the Commandos managed to secure the hill only at 5.45 p.m. Nights patrols, sent out by Colonel Rudnicki, on the surrounding hills checked out, that the Germans withdrew leaving behind small covering units. On May 19, at 7.10 a.m. the 15th Battalion took the hill 575 and the Vineyard. On the secured hill patrols from the division made contact with the elements of the 3rd Carpathian Rifle Division.

In the morning of May 19, the whole massif of Monte Cassino was secured. The Polish victory cleared the northern flank of the XIII Corps advance and enabled the British forces entering the valley of the Liri River.

That same day General Sulik ordered capturing San Lucia and taking Piedimonte. Moreover, the 6th Lwów Infantry Brigade was sent to secure the Pizzo Corino hill and then to scout around the Monte Cairo hill. The 15th Poznański Lancers Regiment was to conduct reconnaissance patrols.

On May 23, the Eighth Army's Canadian I Corps and one division from the British XIII Corps began its assault on the Hitler Line. The following day the Polish „Bob" Group took Piedimonte. On May 25, the Hitler Line was broken: the 15th Lancers Regiment captured the hill 912, Pizzo Corino and Monte Cairo. During the battle of Monte Cassino, the 2nd Corps casualties totalled at 923 killed and 2,931 wounded.

After a short rest General Anders was ordered

Żołnierze 3 Brygady Strzelców Karpackich w marszu (ZW)

Soldiers of the 3rd Carpathian Rifle Brigade are marching on

496 poległych, 1789 rannych i 139 zaginionych. Bitwa o Ankonę była jedyną samodzielną operacją PSZ na Zachodzie w okresie II wojny światowej. Zajęcie portu w Ankonie umożliwiło 8 Armii prowadzenie dalszej ofensywy w kierunku Bolonii.

Po zajęciu Ankony 2 Korpus ruszył w pościg za nieprzyjacielem w kierunku „linii Gotów". Na przełomie sierpnia i września 1944 r. oddziały polskie przełamały przedni skraj „linii Gotów".

W połowie października 2 Korpus został ponownie skierowany na front w Apeninach Emiliańskich. W tym okresie walki toczyły się w bardzo trudnych warunkach terenowych, w czasie ulewnych deszczów, które zmieniły górskie drogi w grząskie bajora. Straty 2 Korpusu wyniosły ponad 1500 poległych, rannych i zaginionych.

W końcu 1944 r. okresie walk pozycyjnych nad rzeką Senio jednostki 2 Korpusu, zgodnie z wytycznymi planu rozbudowy wojska, organizowały nowe oddziały. W ten sposób w 3 DSK powstała 3 SK, a w 5 KDP została sformowana 4 WBP. Powstała również 16 PBP, która po połączeniu z 2 BPanc utworzyła 2 Warszawską DPanc.

Od stycznia 1945 r. alianci przygotowywali się do decydującego uderzenia we Włoszech. Dowódca 15 Grupy Armii amerykański gen. Clark wyznaczył 8 Armii dowodzonej przez gen. R. L. McCreery zadanie nacierania po północnej stronie drogi Nr 9 brytyjskim V Korpusem na prawym skrzydle i 2 Korpusem na lewym skrzydle. Natomiast brytyjskie X i XIII Korpusy miały pozostawać w gotowości bojowej do działania na południe od szosy. Po odejściu gen. Andersa do Londynu w związku z objęciem p.o. NW, 2 Korpusem w bitwie o Bolonię dowodził gen. Bohusz-Szyszko. Na czas operacji 2 Korpus został wzmocniony brytyjską 7 BPanc. i hinduską 43 BP. Gen. Bohusz-Szyszko zamierzał opanować przyczółki na rzekach Senio i Santerno przy współdziałaniu z V Korpusem, a w dalszej fazie działań wydzielić dwie grupy bojowe do pościgu za nieprzyjacielem w kierunku miejscowości Medici i Castel S. Pietro. W pierwszej fazie akcji na prawym skrzydle nacierać miała 3 DSK, natomiast na lewym skrzydle miała działać „Gru-

5 stycznia 1945 r., Predappio, Włochy; gen. Anders z dowódcą 15 Grupy Armii gen. Clarkiem przed dekoracją amerykańskiego generała Krzyżem Virtuti Militari (ZW)

January 5, 1945, Predappio, Italy. General Anders with General Clark, commander of the 15th Army Group who is to be decorated with the Polish Virtuti Militari Cross (ZW)

to move along the Adriatic coast "to capture and open the economically important port in Ancona." From June 17 the 3rd Carpathian Rifle Division was moving along the road no. 16. On June 21, the 1st Carpathian Rifle Brigade reached the Chenti River. Heavy fighting over the river lasted from June 21 – 30. Between July 1 –16, the 3rd Carpathian Rifle Division the 2nd Armoured Brigade crossed the Musone River, while the 5th Kresowa Infantry Division was taking Filattrano, the Centofinestre hill and Baggio. On July 10 the 5th Kresowa Infantry Division crossed the Musone River and was able to link up with the 3rd Carpathian Rifle Division. The German lines were broken when the 5th Kresowa Infantry Division captured the town of Montoro.

Before participating in the main battle of Ancona, the 2nd Polish Corps was spread on the line 60 kilometres. Along 40 kilometres of that line Polish troops had contact with the enemy.

All the units of the 2nd Corps were engaged in the battle of Ancona. On July 17, the assault on the city began. The 15th Battalion's attack on Monte della Crescia enabled the 2nd Armoured Brigade to outflank the Germans. Moreover, the 1st Krechowiecki Lancers Regiment with one Commando company captured Casa Nuova. Along with the Polish units the British 7th Hussar Regiment attacked the Montecchio ridge and the 6th Armoured Regiment took Croce di San Vincenzo. At dawn of July 18, the 15th Battalion entered Offagna. That same day, the 6th Lwów Infantry Brigade established captured Chiaravalla, thus establishing a bridgehead on the Esino River. Meanwhile, the 2nd Armoured Brigade reached the Adriatic coast, thus sealing Ancona from the northwest. At 2.30 p.m. the Carpathian Lancers Regiment entered the city. The port was taken undamaged. During the battle of Ancona the 2nd Corps lost 496 killed, 1,789 wounded and 139 missing. It was the only independent Polish operation on the Western Front.

With the captured port in Ancona the Eight Army was able to continue its offensive on Bologna.

The next assignment of the 2nd Corps was to break through the Goth Line. By the early September 1944, the German defensive positions were overrun by the Polish troops.

By mid-October the 2nd Corps was deployed in the Emilian Apennines. Heavy fighting in difficult natural conditions (heavy rainfall changed mountain roads into bog) resulted in high casualties – over 1,500 killed, wounded and missing.

At the end of 1944, during the positional warfare over the Senio River, newly formed units enlarged the 2nd Corps. The 3rd Brigade was attached to 3rd Carpathian Rifle Division and the 4th Wołyńska Infantry Brigade was added to the 5th Kresowa Infantry Division. After the existing 16th Pomorska Infantry Brigade joined the 2nd Armoured Brigade, the 2nd Warsaw Armoured Division was established.

From January 1945, the Allied forces were preparing for the final assault in Italy. The American commander of the Fifteenth Army Group, General Clark,

21 kwietnia 1945 r., Bolonia. Wjazd dowódcy „Grupy Rud" gen. bryg. Klemensa Rudnickiego do Bolonii (ZW)

21 April, 1945, Bologna. Major General Klemens Rudnicki, commander of the "Rud" Group enters the town

pa Rud" pod dowództwem gen. Rudnickiego w składzie 3 BSK i 4 WBP. W momencie opanowania przepraw i przyczółka na rzece Santerno do dalszego natarcia miała wejść 5 KDP wzmocniona hinduską 43 BP (16 kwietnia odeszła do XIII Korpusu) i 2 BPanc.

W dniu 9 kwietnia 1945 r. rozpoczęła się wiosenna ofensywa 8 Armii. Na odcinku 2 Korpusu przebywał p.o. NW gen. Anders. Jako pierwsze natarcie przez rzekę Senio rozpoczęły oddziały 3 SK. Poprzedzone ono zostało silnym bombardowaniem lotniczym. Przy czym alianckie samoloty przez pomyłkę zbombardowały pozycje wyjściowe 2 i 5 batalionu z 3 DSK, powodując dotkliwe straty wynoszące około 210 zabitych i rannych. Pomimo tych strat obydwa bataliony wsparte 6 batalionem sforsowały rzekę Senio.

11 kwietnia oddziały 3 DSK dotarły do rzeki Santerno i następnego dnia utworzyły przyczółek w rejonie Mordano. W tym samym czasie „Grupa Rud", która w tej fazie działań osłaniała od południa 3 DSK toczyła ciężkie walki nad rzeką Santerno zdobywając 14 kwietnia Imolę. W dniu tym została zakończona pierwsza faza działań 2 Korpusu w bitwie o Bolonię i do akcji weszła 5 KDP oraz 2 BPanc, z której została utworzona „Grupa Rak" pod dowództwem gen. Rakowskiego. Pomimo zaciętej obrony niemieckiej już 14 kwietnia oddziały 5 KDP i „Grupa Rak" osiągnęły rzekę Sillaro. Po dwóch dniach walk niemiecka obrona na tej rzece została przełamana. Od 18 kwietnia 5 KDP i 2 BPanc. prowadziły walki nad rzekami Gaiana i Idice z niemieckimi jednostkami spadochronowymi (1 i 4 DSpad.). W dniu 19 kwietnia 5 KDP dotarła do kanału Fossatone, a „Grupa Rud" po zdobyciu 17 kwietnia Castel S. Pietro walczyła nad rzeką Gaiane. 21 kwietnia do akcji weszła ponownie 3 SK, a „Grupa Rak" została przesunięta do odwodu 2 Korpusu. W tym dniu oddziały polskiego korpusu przeszły rzekę Idice, zajmując Granarolo (3 DSK) i Quatro (5KDP). W tym samym czasie amerykańska 5 Armia dowodzona przez gen. L. Truscotta maszerowała w kierunku Bolonii.

W dniu 21 kwietnia 1945 r. „Grupa Rud" rozpoczęła natarcie na Bolonię. O godz. 6.00 rano do miasta jako pierwszy wkroczył 9 batalion z 3 DSK. Wejście

ordered the British Eighth Army's (commanded by General R.L. McCreery) V Corps to attack on the north flank of the road no. 9 and the Polish 2nd Corps to attack on the left flank. The British X and XIII Corps were to maintain in combat readiness. After General Anders was summon to London to be the acting C-in-C, General Bohusz-Szyszko became the Polish CO in Italy. To carry out the assault the 2nd Polish Corps was reinforced by the British 7th Armoured Brigade and the Indian 43rd Infantry Brigade. General Bohusz-Szyszko's plan was to establish a bridgehead on the Senio and Santerno rivers in cooperation with the British V Corps and then to select two forces to push the enemy back towards Medici and Castel San Pietro. The units intended to execute the plan were the 3rd Carpathian Rifle Division and the "Rud Group", commanded by General Rudnicki, consisting of the 3rd Carpathian Rifle Brigade and 4thWołyńska Brigade. When the bridgehead was to be established, the 5th Kresowa Infantry Division, the Indian 43rd Infantry Brigade (on April 16 it was transferred to the XIII Corps) and the 2nd Armoured Brigade would move in.

On April 9, 1945, the Eighth Army launched spring offensive. The 2nd Corps attack was supervised by the acting Commander-in-Chief General Anders. Elements of the 3rd Carpathian Rifle Division began the assault. It was preceded by heavy Allied air bombardment, but some aircraft also attacked by mistake the positions of the 2nd and 5th Battalions. Two hundred and ten men were killed or wounded. Nevertheless, with the support of the 6th Battalion both battalions managed to cross the Senio River.

On April 11, elements of the 3rd Carpathian Rifle Division reached the Santerno River and established a bridgehead at Mordano on the following day. Meanwhile, the "Rud" Group that protected the southern flank of the 3rd Carpathian Rifle Division's advance, after heavy fighting took Imola on April 14. After the end of the first stage of the assault on Bologna, the "Rak" Group (commanded by General Rakowski), consisting of the 5th Kresowa Infantry Division and the 2nd Armoured Brigade, was to carry on the attack. Despite heavy German resistance the

W marszu

The soldiers are marching on.

"Rak" Group managed to break through the enemy lines and approach to Sillaro River already on April 14. During the following two days the German defences along the river were broken. From April 18, the 5th Kresowa Infantry Division and the 2nd Armoured Brigade were fighting the German 1st and 4th Parachute Divisions over the Gaiana and Idice rivers. On April 19, the 5th Kresowa Infantry Division reached the Fassatone Canal. The "Rud Group" after capturing Castel San Pietro on April 17, was fighting along the Gaiane River. On April 21, the 3rd Carpathian Rifle Division relieved the "Rak" Group and continued the attack. During that day Granarolo was captured by the 3rd Carpathian Rifle Division and Quatro was taken by the 5th Kresowa Infantry Division. Besides the 2nd Corps, the American Fifth Army of General Truscott was also heading for Bologna.

On April 21, 1945, the "Rud" Group began the assault on Bologna. At 6 a.m. the 9th Battalion, 3rd Carpathian Rifle Division, entered the city, thus preventing the Allied plan to bomb the city. The entering Polish troops were greeted by cheerful citizens. The battle of Bologna cost the 2nd Corps 234 killed and 1,288 wounded.

1 DPanc. 1944 r. (ZW)

The 1st Armoured Division, 1944 (ZW)

do miasta oddziałów polskich zapobiegło planowanemu bombardowaniu miasta przez lotnictwo alianckie. Wkraczających żołnierzy polskich witały tłumy bolończyków.

Straty 2 Korpusu w bitwie o Bolonię wyniosły 234 poległych i 1228 rannych.

Walki 1 Dywizji Pancernej

Pierwsza Dywizja Pancerna dowodzona przez gen. Maczka od 29 lipca do 4 sierpnia lądowała w Normandii. Tam też polska dywizja weszła w skład kanadyjskiego II Korpusu, działającego w ramach kanadyjskiej 1 Armii. Pierwszym zadaniem, jakie otrzymał kanadyjski II Korpus, było zajęcie rejonu Falaise i połączenie się z jednostkami amerykańskimi działającymi na kierunku Argentan. W działaniach kanadyjskiego II Korpusu 1 DPanc. miała współdziałać z kanadyjską 4 DPanc. wzdłuż szosy Caen – Falaise z zadaniem opanowania rejonu Falaise oraz przepraw na rzece Dives.

W dniu 8 sierpnia 1 DPanc. weszła do akcji. Jeszcze przed linią wyjściową do natarcia idące na przodzie dywizji 2 PPanc., 24 PUł. i szwadron 10 PDrag. dostały się pod silny ogień niemieckiej broni przeciwpancernej i czołgów z rejonu lasków na wschód od Robertmesnil. 2 PPanc. stracił 26 czołgów, a 24 PUł. 14 czołgów. Dopiero w nocy oddziały 3 Brygady Strzelców oczyściły lasy na południowy wschód od Robertmesnil. Następnego dnia pułki 10 BPanc. nacierały do przodu, zdobywając teren, który następnie oczyszczały bataliony z 3 Brygady Strzelców. Wieczorem 9 sierpnia 1 PPanc. brawurową szarżą czołgów zdobył wzg. 111, jednak wobec silnego ostrzału nieprzyjaciela pułk musiał się wycofać. Dopiero 10 sierpnia wzg. 111 zostało opanowane przez 9 batalion strzelców i 10 PSK. Walki 1 DPanc. w tej fazie natarcia zakończyły się w nocy z 10 na 11 sierpnia na wschód od Soignolles. Straty dywizji w tych walkach wyniosły 656 poległych, rannych i zaginionych.

14 sierpnia przez przypadek oddziały 1 DPanc. zostały zbombardowane przez lotnictwo alianckie. Zginęło 48 żołnierzy, 103 zostało rannych, a 53 uznano za zaginionych. W dniu 15 sierpnia rozpoczął się wyścig w kierunku przepraw na rzece Dives. 1 DPanc. ruszyła dwoma kolumnami: prawa na

▸ *1 DPanc. 1944 r. (ZW)*

▸ *The 1st Armoured Division, 1944 (ZW)*

The 1st Armoured Division

The 1st Armoured Division commanded by General Stanislaw Maczek became a part of the Canadian II Corps, Canadian First Army, and was sent to Normandy, France. The first objective of the corps was to capture the area around Falaise and to link up with the Americans approaching from Argentan. The Polish division was to cooperate the Canadian 4th Armoured Division in order to secure the Falaise region and to capture river crossing on the Dives.

On August 8, General Maczek's unit sent to combat. The units spearheading its attack, the 2nd Armoured Regiment, the 24th Lancers Regiment and the 10th Dragoons Regiment, were immediately fired at from the forest east of Robertmesnil. The 2nd Armoured and 24th Lancers Regiments lost altogether forty tanks. The 3rd Rifle Brigade managed to clear the woods southeast of Robertmesnil by night. During the following day the ground captured by the 10th Armoured Brigade was cleared from enemy infantry by the 3rd Rifle Brigade. After a brave charge an August 1, the 1st Armoured Regiment captured the hill 111, but due to the strong German counterattack the regiment had to withdraw. It was only on the following day that hill was re-captured. The first stage of the Polish advance ended in the night from August 10/11 east of Soignolles. The Polish division lost 656 men.

On August 14, the Allied aircraft mistakenly attacked the 1st Armoured Division. Forty-eight men were killed, 103 were wounded and 53 missing. The division was able to continue the attack on the following day. When the attack was resumed, two armoured groups moved out to capture the Dives River crossings at Bouveres-Sassy-Jort and Baut de Haut-Vendeuvre-Morries. The 10th Mounted Rifles Regiment spearheaded the assault.

In the afternoon (5.45 p.m.) on August 17, the CO of the Canadian II Corps ordered General Maczek to take the town of Chambois during the coming night. Meanwhile, the Canadian 4th Armoured Division was to take Trun. Despite the exhaustion of the units, the Polish commander ordered the 2nd Armoured Regiment of Lieutenant Colonel Kosztuski to attack Chambois and intended to capture

Bouvres-Sassy-Jort; lewa na Baut de Haut-Vendeuvre-Morrieres. Na czele dywizji posuwał się 10 PSK, który w brawurowej akcji opanował przeprawy w Jort i Vendeuvre.

17 sierpnia o godz. 17.45 do gen. Maczka przyjechał dowódca kanadyjskiego II Korpusu „z wyrazami uznania za dotychczasową bardzo szybką i celną akcję" oraz z poleceniem dowódcy 21 Grupy Armii zajęcia jeszcze tej nocy miejscowości Chambois. W tym samym czasie kanadyjska 4 DPanc. miała opanować miejscowość Trun. Pomimo zmęczenia oddziałów gen. Maczek nakazał natychmiast uderzyć zgrupowaniu ppłk. Koszutskiego (dowódca 2 PPanc.) na Chambois. Dalszym planem dowódcy 1 DPanc. było opanowanie i utrzymanie wzg. 252 i 262 (Maczuga) oraz zablokowanie wyjść z Chambois. Nie powiodło się to na skutek pomyłki ppłk. Koszutskiego, który ruszył zamiast na Chambois na les Champeaux, gdzie został uwikłany w ciężkie walki z nieprzyjacielem. Do miejscowości Chambois dotarł 10 PSK wzmocniony I dywizjonem 1 PAPpanc. W dniu 19 sierpnia o godz. 9.20 zgrupowanie mjr. Zgorzelskiego w składzie 10 PDrag. i 24 PUł. uderzyło na wzg. 137. O godz. 19.30 w krwawych walkach wręcz dragoni zajęli północny skraj miejscowości, a następnie opanowali wyjścia dróg w kierunku Mont Ormel i St. Lambert, i nawiązali tym samym łączność z oddziałami amerykańskimi.

Wieczorem 19 sierpnia 1 DPanc. była ugrupowana następująco: grupa ppłk. Koszuckiego (2 PPanc., 8 batalion strzelców oraz dyon ppanc) na wzg. 240; 1 PPanc., Batalion Strzelców Podhalańskich oraz dwa dyony ppanc. na wzg. 262 i 252; 24 PUł. 1km na wschód od wzg. 113; 10 PDrag. w Chamboise, 10 PSK 1 km na północ od tej miejscowości; 9 batalion strzelców w marszu ze wzg. 240 na Maczugę. W tym dniu 1 DPanc., która była wysunięta w stosunku do sąsiednich jednostek około 7 km ku południowemu wschodowi, musiała przyjąć na siebie cały ciężar walk z oddziałami I i II Korpusów Pancernych SS.

W nocy z 19 na 20 sierpnia 10 PSK w ciężkich bojach musiał odpierać ataki niemieckich oddziałów, które chciały wymknąć się z potrzasku. W trakcie walk do niewoli dostał się niemiecki gen. Elfeld wraz ze sztabem. Od rana 20 sierpnia nieprzyjaciel

Polscy pancerniacy w Holandii (ZW)

Polish tankers in Holland (ZW)

rozpoczął ataki na pozycje 1 i 2 PPanc. Oddziały niemieckie nie tylko atakowały od strony zachodniej, ale również od wschodu, skąd próbowały odciążyć zamknięte w kotle oddziały. Również przez cały dzień 20 sierpnia ciężkie walki prowadziły 10 PDrag. i 24 PUł. W godzinach przedpołudniowych nawiązały one kontakt z oddziałami amerykańskimi, od których otrzymały zaopatrzenie w materiały pędne i amunicję.

Znajdujące się na wzgórzach 252 i 262 oddziały polskie 1 DPanc. miały ogromne problemy z zaopatrzeniem. Dopiero 21 sierpnia o godz. 10.45 oddziały kanadyjskie nawiązały łączność z 2 PPanc., a po południu kanadyjska brygada weszła w rejon wzg. 262. W tym samym czasie dotarło zaopatrzenie dla walczących na wzgórzach pułków. Kryzys boju minął. Oddziały niemieckie rozpoczęły odwrót. W bitwie pod Falaise 1 DPanc. była korkiem, który zamknął butelkę, a w niej znaczne siły niemieckie. W dniu 22 sierpnia 1 DPanc. została zluzowana i przeszła do odwodu kanadyjskiego II Korpusu. W walkach pod Falaise oddziały polskie wzięły do niewoli 3576 niemieckich żołnierzy, a 1450 jeńców 24 PUł.

Czołg średni **M4A4 Generał Sherman**, *ciężar 33 tony, działo 75 mm, na uzbrojeniu 1 Dywizji Pancernej i 2 Brygady Pancernej oraz niektórych pododdziałów pancernych 1 i 2 Armii WP na Wschodzie. Wyprodukowano prawie 50 tys. egzemplarzy*

The General Sherman M4A4 *medium tank, 33 t., 75 mm calibre gun. The 1st Armoured Division and 2nd Armoured Brigade, as well as some armoured units of the 1st and 2nd Polish Army in the East were armed with them. Over 50 thousand Shermans were produced*

and hold the 252 and 262 hills, codenamed "Club" (Polish codename Maczuga). Maczek's plan to cut off Chambois failed as the 2nd Armoured Regiment attacked by mistake the town of les Champeaux. The task of assaulting Chambois was given to the 10th Mounted Rifles Regiment reinforced with the 1st Battery of the 1st Anti-Tank Artillery Regiment. In the morning (9.20 a.m.) on August 19, forces of Major Zgorzelski, consisting of the 10th Dragoons Regiment and the 24th Lancers Regiment attacked the hill 137. At nightfall (7.30 p.m.), after heavy fighting the Polish forces secured the northern sector of the town. After cutting the exit routes from Chambois to Mont Ormel and St. Lambert, the Poles linked up with the advancing Americans. By the end of the day 1st Armoured Division was in the following positions: Lieutenant Colonel Koszutski's units (the 2nd Armoured Regiment, the 8th Rifle Battalion and an Anti-Tank Battery) held the hill 240, 262 and 252 hills were taken by the 1st Armoured Regiment, Highland Rifle Battalion and two Anti-Tank Batteries, the 24th Lancers Regiment was 1 kilometre east of hill 113, the 10th Dragoons Regiment was in Chambois, the 10th Mounted Rifle Regiment was 1 kilometre north of that place and the 9th Rifle Battalion was on its way from the hill 240 to the "Club". The Polish unit was the most southeast advanced unit (about 7 kilometres) and was burdened with fighting the I and II SS Armoured Corps.

In the night from August 19/20 the 10th Mounted Rifles Regiment was fighting the entrapped German forces. During the fighting the German General Elfeld and his staff was captured. From the morning on August 20, the Germans attacked the 1st and 2nd Armoured Regiments to break through the Allied positions. After heavy fighting the 10th Dragoons and the 24th Lancers Regiments managed to link up with the Americans, from whom they received fuel and ammunition.

Elements of the 1st Armoured Division deployed on the 252 and 262 hills were short of supplies. It was not until August 21, at 10.45 a.m. that the Canadian forces linked up with the 2nd Armoured Regiment and by afternoon the Canadian brigade

Obsługa PIAT-a 1 SBSpad. (ZW)

Projector infantry antitank squad of the 1st Independent Parachute Brigade (ZW)

i 10 PDrag. przekazał bez pokwitowania oddziałom amerykańskim. Straty 1 DPanc. w walkach od 14 do 22 sierpnia wyniosły: 325 poległych, 1002 rannych i 114 zaginionych.

30 sierpnia po krótkim odpoczynku 1 DPanc. ruszyła w dalszy pościg za nieprzyjacielem. Po przejściu Sekwany gen. Maczek otrzymał zadanie pościgu za oddziałami niemieckimi w kierunku na Abbeville. Rankiem 3 września po ciężkich walkach o przeprawy batalion Strzelców Podhalańskich wkroczył do Abbeville. W dalszym pościgu za nieprzyjacielem 1 DPanc. zajęła Saint Omer, przekraczając 6 września granicę francusko-belgijską, gdzie zajęła miejscowość Ypres. Dwa dni później dywizja opanowała miasteczko Tielt. W dalszym zwycięskim marszu żołnierze polscy wyzwolili Gandawę, Lokeren i Saint Nicolas. 15 września 1 DPanc. osiągnęła kanał Axel – Hulst. Następnego dnia czołowe oddziały 3 Brygady Strzelców przekroczyły granicę holenderską. Po zakończeniu kampanii belgijskiej 1 DPanc. weszła w skład brytyjskiego I Korpusu działającego w ramach kanadyjskiej 1 Armii. Dowództwo korpusu postawiło gen. Maczkowi zadanie oczyszczenia z oddziałów niemieckich rejonu Antwerpii. Wykonując to zadanie, oddziały polskie zdobyły Merxplas, Baarle-Nassau i Alphen. Pod Alphen oddziały 1 DPanc. musiały przez trzy tygodnie prowadzić ciężkie walki o utrzymanie terenu. Po zakończeniu walk w rejonie Alphen polska dywizja otrzymała zadanie odcięcia nieprzyjacielowi odwrotu z Tilburga do Bredy. W pierwszym dniu akcji (27 października) 1 DPanc. przecięła drogę Tilburg – Breda oraz rozpoczęła działania na Oosterhout. Następnie dywizja otrzymała zadanie opanowania mostów w rejonie Moerdijk. Zadania tego nie mogła wykonać bez opanowania węzła drogowego w Bredzie. 29 października w godzinach południowych 3 Brygada Strzelców, wsparta 2 PPanc., opanowała Ginneken i wkroczyła od południa na przedmieścia Bredy. Rankiem 30 października zgrupowanie złożone z części 1 PPanc. oraz 10 PDrag. weszło do miasta od północy. W tej sytuacji nieprzyjaciel wycofał się z miasta, niszcząc po drodze most na kanale Mark. W wyzwolonym

6 maja 1945r., Wilhelmshaven. Omawianie kapitulacji niemieckiej załogi. Drugi z prawej por. Janusz Barbarski (ZW)

May 6, 1945, Wilhelmshaven. Terms of surrender for the German garrison are negotiated. Second from the right Lieutenant Janusz Barbarski (ZW)

approached the hill 262. Simultaneously, supplies were delivered to the Polish units. The threat of defeat was headed off. The German forces were withdrawing. During the battle of Falaise the Polish 1st Armoured Division helped the Allies to encircle significant German forces. On August 22, the 1st Armoured Division was relieved and became the reserve of the Canadian II Corps. The division captured 5,026 prisoners. The divisional casualties between August 14 – 22 reached 325 killed, 1002 wounded and 114 missing.

On August 30, General Maczek was ordered to pursue the enemy. After crossing the Seine, the 1st Armoured Division headed for Abbeville. After heavy fighting for the river crossings, the Highland Rifle Battalion entered the town in the morning of September 3. While continuing the pursuit the division took Saint Omer. On September 6, the division crossed the Belgian border and took Ypres. The division continued its advance capturing Tielt, Ghent, Lokeren and Saint Nicolas. On September 15, the Polish armoured division reached the Axel – Hulst Canal. On September 16, the Polish unit crossed the Dutch border. With the end of the fighting in Belgium the 1st Armoured Division was transferred to the British I Corps of the Canadian First Army. General Maczek was ordered to clear Antwerp. While completing its objectives the Polish division captured Merxplas, Baarle-Nassan and Alphen. However, at Alphen the division had to fight for three weeks just to hold the already captured territory. After ending combat in that area, the unit was to block the road between Tilburg and Breda to prevent the enemy movement. After cutting the road on October 27, the division was ordered to capture river crossing around Moerdijk. However, that task required taking Breda first and on October 29, an assault was launched. In the afternoon, the 3rd Rifle Brigade supported by the 2nd Armoured Regiment entered the town from the south and on the following day the 1st Armoured Regiment and the 10th Mounted Rifle Regiment entered the city from the north. Nevertheless, the enemy withdrew de-

mieście zapanowała ogromna radość. Żołnierze 1 DPanc. stali się bohaterami. 11 listopada 1944 r. rada miasta Breda przyznała gen. Maczkowi i jego żołnierzom honorowe obywatelstwo. W mieszkańcach miasta polscy żołnierze znaleźli oddanych przyjaciół, zaś po zakończeniu wojny wielu z nich założyło tu rodziny.

Po krótkim odpoczynku dywizja ruszyła do dalszej walki. Głównym zadaniem było zajęcie rejonu Moerdijk. Po ciężkich walkach 8 listopada osiągnięto brzeg Mozy. W ten sposób 1 Dywizja zakończyła walki w kampanii zimowej 1944 r. W walkach o wyzwolenie Holandii 1 DPanc. straciła 84 oficerów i 1300 szeregowych – poległych, rannych i zaginionych.

14 kwietnia 1945 r. 1 DPanc. znalazła się na granicy holendersko-niemieckiej. Pierwszym celem natarcia było forsowanie kanału Kusten. W czasie pięciodniowych walk w bardzo trudnym terenie i przy dużym oporze nieprzyjaciela polscy pancerniacy przełamali obronę niemiecką. W ten sposób po sześciu latach wojny żołnierz polski znalazł się na ziemi niemieckiej. W tym czasie dowództwo kanadyjskiego II Korpusu zmieniło zadanie polskiej dywizji, kierując ją z Emden w stronę niemieckiej bazy Kriegsmarine w Wilhelmshaven. 6 maja do miasta jako pierwsze wkroczyły 2 PPanc. i 8 batalion strzelców. Kapitulację niemieckiej załogi przyjął płk dypl. Antoni Grudziński. Jeszcze w czasie walk o Wilhelmshaven do dywizji przybył gen. Rudnicki, który miał przejąć dowództwo 1 DPanc. od generała Maczka. Po zakończeniu wojny 1 DPanc. wraz z 1 SBSpadoch. pełniły służbę okupacyjną Niemiec.

1 Samodzielna Brygada Spadochronowa

Szóstego czerwca 1944 r. Rada Ministrów wyraziła zgodę na przejście brygady pod rozkazy brytyjskie. Tego dnia 1 SBSpad. weszła w skład brytyjskiego Korpusu Desantu Powietrznego. Od tego też momentu główne zadanie brygady – wsparcie powstania powszechnego w Polsce – zostało anulo-

Stefan Garwatowski, **Generał Stanisław Franciszek Sosabowski**

Stefan Garwatowski, **General Stanisław Franciszek Sosabowski**

wane. Naczelny Wódz nie powiadomił o tej zmianie dowódcy AK, który w planach przygotowywanego powstania nadal liczył na brygadę spadochronową. 1 sierpnia w Warszawie wybuchło powstanie. 14 sierpnia dowódca 1 SBSpad. zameldował Naczelnemu Wodzowi, że żołnierze na znak protestu przeciwko obojętności aliantów wobec tragedii walczącej Warszawy odmówili przyjęcia posiłków.

W dniu 17 września 1944 r. wielkim desantem z powietrza rozpoczęła się operacja Market-Garden. Oddziałom brytyjskim udało się zająć częściowo miasto Arnhem. Pierwszy rzut szybowcowy 1 SBSpad. lądował w rejonie walk, na północnym brzegu Renu w dniach 18 i 19 września. Natomiast rzut spadochronowy, wskutek złych warunków atmosferycznych, lądował z dwudniowym opóźnieniem na południowym brzegu Renu 21 września. Wobec pogarszających się warunków atmosferycznych brytyjskie dowództwo lotnictwa wstrzymało akcję i ze 114 samolotów zawróciło 61. W ten sposób na pomoc walczącej w osamotnieniu brytyjskiej dywizji spadochronowej przybyła tylko część polskiej brygady, li-

Hełm spadochroniarzy **At Mk II**

The AT MK I/ *parachutist's helmet*

stroying the bridge over the Mark Canal. As Breda was liberated the Polish troops became heroes. On November 11, 1944, the city council nominated the soldiers the freemen of the city. After the war many men returned to Breda and settled there.

After a short rest the division headed for Moedrijk. On November 8, the 1st Armoured Division reached the riverbank of the Maas. There the division ended its combat trail in 1944. During the fighting to liberate Holland the Polish unit lost 84 officers and 1,300 troops.

On April14, 1945, the division was preparing to enter the Third Reich. The first objective of the Polish unit was to cross the Kusten Canal. After five days of heavy fighting in difficult terrain, the 1st Armoured Division managed to break through the German lines. For the first time in the course of war the Polish soldier set his foot on the German soil. Soon after the division was ordered to take the Kriegsmarine base at Wilhelmshaven. On May 6, the first elements of the division entered the city. The Germans surrendered to Colonel Antoni Grudziński. Before the fighting for Wilhelmshaven was over General Rudnicki took over the command of the 1st Armoured Division. After the war the division stayed in Germany, where together with the 1st Independent Parachute Brigade it performed occupation duties.

The 1st Independent Parachute Brigade

On June 6, 1944, the Polish Council of Ministers approved the transfer of the 1st Independent Parachute Brigade under British command. From that day the brigade became a part of the British Airborne Corps and its former opal, to support the uprising in Poland, was cancelled. However, the CO of the Polish Home Army had not been notified about that and he still hoped for the brigade while planning the uprising. After the uprising broke out, on September 14th, the CO of the 1st Independent Parachute Brigade notified the C-in-C that the Polish soldiers refused to eat in protest to the Allied indifference to the fighting in Poland.

On September 17, 1944, massive airdrops and glider landings began the operation MARKET GARDEN. The first wave of the 1st Independent Parachute Brigade landed on the north bank of the Rhine on September 18 and 19, but poor weather conditions delayed the parachute drop for the following two days. The parachute drop was incomplete as due to bad weather 61 aircraft carrying the Polish troops returned to England. Consequently, only some part of the brigade 1,067 men was able to help the besieged in Arnhem British 1st Airborne Division. The Polish objective was to secure a river crossing southeast of Driel. While the Poles carried out their orders, the British airborne division was encircled and the only crossing with the other riverbank was under German heavy fire.

Due to the insufficient amount of boats, in the night from September 22/23, only sixty men from the 8th Parachute Infantry Company managed to cross the river. On September 23, the remaining

ORP Orzeł

The Polish Republic Ship **Orzeł**

cząca 1067 żołnierzy. Polska brygada otrzymała zadanie opanowania przeprawy na południowy wschód od miejscowości Driel. W momencie wejścia Polaków do akcji Arnhem zostało ponownie opanowane przez oddziały niemieckie. Brytyjska 1 DSpad. znalazła się w okrążeniu. Jedynie na niewielkim odcinku istniało połączenie z drugim brzegiem Renu, ale ten rejon był pod silnym ostrzałem niemieckim.

W nocy z 22 na 23 września polskie oddziały, dążąc na pomoc Brytyjczykom, usiłowały przeprawić się na drugi brzeg Renu. Jednak wobec braku dostatecznej ilości sprzętu przeprawowego, udało się przerzucić na drugi brzeg tylko 60 żołnierzy z 8 kompanii strzelców spadochronowych. W dniu 23 września pozostała część rzutu spadochronowego 1 SBSpadch. została zrzucona w rejon Grave – 30 kilometrów od walczących oddziałów brygady. W nocy z 23 na 24 września przez Ren na kierunku Oosterbeek przeprawiło się około 150 żołnierzy z 3 batalionu oraz część kwatery głównej. 3 batalion po dołączeniu do Brytyjczyków został skierowany na odcinek obronny na wschód od Hartenstein. Następnej nocy próbowano przeprawić pozostałą część brygady, jednak silny ogień nieprzyjaciela uniemożliwił to zadanie.

W dniu 25 września do Driel dotarły oddziały polskie zrzucone pod Grave. Tego dnia zarządzono wycofanie resztek brytyjskiej dywizji na południowy brzeg Renu. W nocy z 25 na 26 września z północnego brzegu Renu zdołano ewakuować 2163 żołnierzy z brytyjskiej 1 Dywizji oraz 160 żołnierzy z 1 SBSpad., którzy stanowili osłonę ewakuacji. Żołnierze polscy w większości przepłynęli rzekę wpław. Straty 1 SBSpad. wyniosły 97 poległych, 120 zaginionych i 219 rannych.

Polska Marynarka Wojenna

Polska Marynarka Wojenna kontynuowała walkę na Zachodzie od pierwszych dni września 1939 r. Było to możliwe dzięki skierowaniu do Wielkiej Brytanii, jeszcze przed wybuchem wojny, trzech z czterech niszczycieli („Błyskawica", „Grom" i „Burza"). W trakcie wojny z Bałtyku do Wielkiej Brytanii przedarły się dwa z pięciu okrętów podwodnych – „Wilk" i „Orzeł" (ten ostatni po ucieczce z internowania w Tallinie). Na Zachodzie były też okręty pomocnicze „Iskra" i „Wilia". Zasady współdziałania sojuszniczego określała polsko-brytyjska umowa morska podpisana w listopadzie 1939 r.

ORP Garland

The Polish Republic Ship **Garland**

Mundur marynarski

A Seaman's uniform

part of the brigade was dropped around Grave, 30 kilometres from the battlefield. In the night from September 23/24 150 men from the 3rd Battalion and the brigade staff crossed the Rhine in the direction of Oosterback.. After linking up with the British, the 3rd Battalion was deployed east of Hartenstein. On the following night German heavy fire prevented the rest of the brigade from crossing the Rhine.

On September 25, the Polish parachute infantry dropped near Grave reached Driel. On that day evacuation was ordered and at night 2,163 men from the British 1st Airborne Division were evacuated from the north bank of the Rhine along with 160 men from the Polish parachute brigade, who were covering the withdrawal. Most of the Polish troops swam across the river. The 1st Independent Parachute Brigade's casualties reached 97 killed, 120 missing and 219 wounded.

The Polish Navy

The Polish Navy continued its fight in the West from the very first days of September 1939. It was possible as soon before the breakout of the war three Polish destroyers (out of the total number of four): the PRS Błyskawica, the PRS Grom and the PRS Burza were despatched to Great Britain. When the war was already on, two (out of the total number of five) Polish submarines struggled through from the Baltic Sea to Great Britain: the PRS Wilk and PRS Orzeł (the latter one having escaped from interment in Tallin). Two Polish auxi-

Z biegiem czasu Polska Marynarka Wojenna objęła szereg okrętów wydzierżawionych przez stronę brytyjską. Były to dwa krążowniki: „Dragon" (a po jego utracie „Conrad"), niszczyciele „Garland", „Piorun", „Krakowiak", „Kujawiak", „Ślązak" i „Orkan", okręty podwodne: „Sokół", „Jastrząb" i „Dzik". PMW eksploatowała też 10 ścigaczy. W 1940 r. Polacy obsadzili przejściowo kilkanaście okrętów francuskich. Do największych wyczynów polskiej floty należy udział niszczyciela „Piorun" w pościgu za pancernikiem „Bismarck" (1941). „Piorun", współdziałający z brytyjską flotyllą niszczycieli, pierwszy dostrzegł wroga i ułatwił brytyjskim niszczycielom osaczenie pancernika. Okręt podwodny „Orzeł" zatopił 8 kwietnia 1940 r. niemiecki statek „Rio de Janeiro", czym demaskował niemiecką inwazję na Norwegię. W osłonie desantu pod Dieppe (1942) uczestniczył niszczyciel „Ślązak". Okręty podwodne „Sokół" i „Dzik", działając na Morzu Śródziemnym, zyskały miano „Strasznych Bliźniaków". Polskie okręty walczyły pod Narwikiem i u brzegów Francji (1940), osłaniały operacje desantowe: w Afryce Północnej (1942), na Sycylii, w rejonie Salerno (1943) i pod Anzio (1944). W osłonie lądowania w Normandii (1944) uczestniczył krążownik „Dragon" i 4 niszczyciele. Ścigacz „S 2" stoczył w czerwcu 1942 r. zwycięską walkę z sześcioma ścigaczami (MTB) Kriegsmarine. W okresie wojny polskie okręty przebyły 1 231 tys. mil morskich, przeprowadziły 1160 operacji morskich i patroli, uczestniczyły w 665 starciach i bitwach, eskortowały ok. 800 konwojów (w tym z Ameryki Płn. do Rosji). Zniszczyły na pewno kilka okrętów wojennych (w tym dwa U-booty U-606 i U-407) i ok. 40 statków transportowych, zestrzeliły ok. 20 samolotów. W walce poległo ok. 400 polskich marynarzy (najwięcej – 178 – na niszczycielu „Orkan" zatopionym w 1943 r. na Północnym Atlantyku). Ponadto straty PMW obejmowały: krążownik „Dragon", niszczyciele „Grom" i „Kujawiak" oraz okręty podwodne „Orzeł" i „Jastrząb". W okresie wojny stan liczebny Polskiej Marynarki Wojennej na Zachodzie wzrósł z tysiąca do czterech tysięcy marynarzy. Ze względu na sytuację polityczną w Polsce (podporządkowanie ZSRR) większość ich po wojnie pozostała na Zachodzie.

Sztandar Polskich Sił Powietrznych na Zachodzie wykonany konspiracyjnie w Polsce

Banner of the Polish Air Forces in the West woven in the occupied Poland

Polskie Siły Powietrzne

Po kampanii w Polsce polscy lotnicy przedostawali się do Francji, która stała się centrum odtwarzania lotnictwa. Polscy piloci walczyli w obronie Francji (1940). Zestrzelili ponad 50 samolotów, przy stracie 13 pilotów. Od grudnia 1939 r. polskich lotników kierowano do Wielkiej Brytanii. W Bitwie o Anglię walczyło 145 pilotów myśliwskich (w dwóch polskich dywizjonach – 302 i 303 oraz w dywizjonach brytyjskich). Polacy stanowili najliczniejszą grupę pilotów myśliwskich z krajów okupowanych (następni Czesi mieli 86 pilotów). Sam tylko Dywizjon 303 – przodujący w RAF – zestrzelił 125 samolotów (w tym Polacy 110). Łącznie polscy piloci zestrzelili w bitwie o Anglię 203 samoloty. Latem 1940 r. do akcji weszły dywizjony bombowe – 300 i 301. Z czasem liczba polskich dywizjonów doszła do 15. Było to: 10 dywizjonów myśliwskich (w tym jeden nocnych myśliwców), 4 bombowe i 663 Dywizjon Samolotów Artylerii. Pod względem liczby dywizjonów w szeregach RAF Polacy przodowali wśród krajów okupowanych (Francuzi mieli 12 dywizjonów; Norwegowie 5, a Czesi 4; pozostałe kraje: Holandia, Belgia, Jugosławia i Grecja miały po 2-3 dywizjony). Grupa

liary vessels, the PRS Iskra and PRS Wilia were also in the West. The cooperation between the Polish Navy and the Royal Navy was regulated by the naval pact signed in November 1939. Soon the Polish Navy took under command several ships which were leased the British part. These included two cruisers: the PRS Dragon and (after she was sunk) the PRS Conrad, six destroyers: the PRS Garland, Piorun, Krakowiak, Kujawiak, Ślązak and Orkan, and three submarines, the PRS Sokol, Jastrząb and Dzik. Moreover, the Polish Navy operated 10 fast attack craft.. For some time in 1940, Polish crews also manned several French vessels. One of the most outstanding and most brilliant feats of the Polish Navy was the participation of the PRS Piorun destroyer in the pursuit after the Bismarck battleship (1941). The Piorun, cooperating with a flotilla of British destroyers, was the first to spot the enemy; she made it easier for the British destroyers to haunt and finally to corner the battleship. The PRS Orzeł sank (on 18 April, 1940) the German Rio de Janeiro ship thus exposing the forthcoming German invasion of Norway. One of the ships which were giving artillery cover to the Dieppe raid (1942) was the PRS Ślązak destroyer. The PRS Sokół and Dzik, operating in the Mediterranean Sea, earned the name of "Terrible Twins". Polish ships were participated in the Narvik campaign and fighting near the French coast (1940) they covered the North Africa (1942), Sicily, Salerno (1943) and Anzio landings. Polish cruiser PRS Dragon waged a victorious battle against six torpedo boats (MTB) of the Kriegsmarine. During the war Polish ships sailed 1,231,000 nautical miles total, conducted 1,160 operational and reconnaissance sorties, participated in 665 battles and scuffles and escorted about 800 convoys (including the American and PQ ones). They destroyed several enemy ships including two U-Boats, the U-606 and U-407, shot down about 20 aircraft and sank about 40 cargo ships. About 400 Polish seamen were killed in action (the largest number – 178 – on the PRS Orkan destroyer sunk in 1943). Losses of the Polish Navy included also the PRS Dragon cruiser, the PRS Grom and PRS Kujawiak destroyers. In the course war the Polish Navy personnel increased

Mjr Jan Zumbach z Dywizjonu 303, na samolocie widzimy godło i 13 symboli zwycięstwa w powietrzu

Squadron Leader Jan Zumbach of the 303 Squadron; badge of the Squadron and 13 marks of combat victories seen below the canopy

from 1,000 to 4,000 men. Because of the political situation in Poland (the subjugation to the Soviet Union) most of them decided after the war to stay in the West.

The Polish Air Force

After the September 1939 campaign, Polish pilots tried to reach France which became a centre for the reconstruction of the air forces. During the defence of France, Polish pilots shot down 50 aircrafts losing only 13 pilots From December 1939 onwards Polish pilots were transferred to Great Britain . In the "Battle of Britain" 145 fighter pilots participated (in the two Polish squadrons: the 302nd and 303rd and in British units). Out of the overall number of fighter pilots from the occupied countries, they made the most numerous group, to be followed by the Czech who had 86 pilots. The 303rd Division alone, the leading one in the RAF,

pilotów (tzw. cyrk Skalskiego) walczyła w Afryce Północnej (PFT; 1943). Polskie bombowce uczestniczyły w nocnych wyprawach RAF. Bombardowano obiekty w Niemczech i w krajach okupowanych. Ciężkie straty spowodowały w 1942 r. przeniesienie 304 Dywizjonu Bombowego do Coastal Command. W 1943 r. rozwiązany został 301 Dywizjon Bombowy. Jedna eskadra została przydzielona do 138 Dywizjonu RAF do Zadań Specjalnych; reszta załóg do dywizjonów: 300 i 305. Polskie samoloty bombardowały m.in. Berlin, Zagłębie Ruhry i Hamburg, a w 1945 r. Drezno i Berchtesgaden. Dokonywano też – mimo odległości i strat – zrzutów dla Armii Krajowej w Polsce (426 lotów, w tym dla Powstania Warszawskiego) i dla ruchu oporu w innych krajach (909 lotów). Dywizjon 300 jako jedyny w PSP został wyposażony w ciężkie bombowce typu „Lancaster" (1944). W związku z przygotowaniami do inwazji na kontynent, 305 Dywizjon przeszedł z Bomber Command do związku operacyjnego pn. 2 Taktyczne Siły Powietrzne (do wsparcia sił lądowych). W skład 2 TSP weszły też stacjonujące w Anglii polskie dzienne dywizjony myśliwskie. Polskie jednostki (dwa skrzydła myśliwskie) weszły w skład „polskiego" 18 Sektora 84 Grupy Myśliwskiej 2 TSP. W kulminacyjnej fazie wojny polskie dywizjony myśliwskie stanowiły ok. 10 proc. sił operacyjnych Fighter Command. Łącznie, w „okresie brytyjskim" polskie myśliwce wykonały 73 500 lotów bojowych. Zniszczono ponad 760 samolotów i 190 bomb V 1. Najwybitniejszymi polskimi pilotami myśliwskimi byli: Stanisław Skalski, Witold Urbanowicz, Eugeniusz Horbaczewski i Bolesław Gładych (15 zestrzeleń i więcej). Dywizjony bombowe zrzuciły 15 tys. ton bomb i min (304 Dywizjon zatopił też 2 U-booty). Straty PSP wyniosły ok. 2 tys. poległych i 1,5 tys. rannych. 1 maja 1945 r. PSP liczyły ok. 14 400 żołnierzy. Ze względu na sytuację polityczną w Polsce (podporządkowanie ZSRR) większość ich po wojnie pozostała na Zachodzie.

shot down 125 planes (including 110 planes shot down by its Polish pilots). Altogether, Polish pilots shot down in the course of the "Battle of England" 201.5 aircraft. In the summer of 1940 the first Polish bomber squadrons, the 300th and 301st, went into service. Soon the number of Polish squadrons reached fifteen; these were ten fighter squadrons, four bomber squadrons and the 663rd Squadron of Artillery Aircraft. As far as the number of the RAF squadrons is concerned, the Polish were leaders our of all pilots who came to Britain from the occupied countries (the French had 14 squadrons; the Norwegians 5, the Czech 4; the remaining countries as follows: Holland, Belgium, Yugoslavia and Greece had 2-3 squadron each. A group of polish pilots (the so-called Skalski's Circus) fought over North Africa (PFT; 1943). Polish bombers took part in night air raids of the RAF. Objects in Germany and in occupied countries were bombed' Because of heavy losses the 304th Bomber Squadron was allocated to the Coastal Command. One flight was allocated to the 138th RAF Special Assignment Squadron, the rest of the crews to the 300th and 305th Squadron respectively. Polish planes bombed, among others, Berlin, the Ruhr Basin and Hamburg, and in 1945 also Berchtesgaden. Notwithstanding great distances and substantial losses, the Home Army in Poland received supplies from the air (426 sorties total, including dropping supplies for the Warsaw Uprising and for the Resistance in other countries (909 sorties) The 300th Squadron, as the only one in the Polish Air Force, was supplied with heavy Lancaster bombers (1944). In connection with the forthcoming invasion on the Continent, the 305th Squadron was relocated from the Bomber Command to the 2 Tactical Air Forces operational unit (whose task was supporting land forces). Polish day fighter squadrons stationed in Britain also entered the unit. Polish units (two fighter wings) were included in the "Polish" 18 Section of the 84th Fighter Group of the 2 Tactical Air Forces. In the climax of the was Polish squadrons made about 10 per cent of the Fighter Command combat forces. All in all, in the "British" period Polish fighter pilots made 73,500 sorties. Over 760 enemy planes and 190 "V 1" flying bombs were destroyed. The most outstanding Polish fighter pilots were Stanisłąw Skalski, Witold Urbanowicz, Eugeniusz Horbaczewski and Bolesław Gładych (15 – or more – planes shot down). The bomber squadrons dropped 15,000 tons of bombs and mines and the 304th Squadron sank two U-Boats. The Polish Air Force casualties amounted to 2,000 killed and 1,500 wounded. By May 1, 1945, the PSF was about 14,400 men strong. Because of the political situation in Poland (the subjugation to the USSR), most of them decided after the war to stay in the West.

Walka w okupowanym kraju

Fighting in occupied Poland

Początki konspiracji

Podbój Polski, a następnie eksterminacja jej ludności miały stworzyć przesłanki kolonizacji ziem nad Wartą, Wisłą i Bugiem. Wkraczając na ziemie polskie, wojska niemieckie ogłaszały ludności, że zgodnie z rozporządzeniem naczelnego dowódcy wojsk inwazyjnych gen. Waltera Brauchitscha „na terenach zajętych przez wojska niemieckie władzę wykonawczą przejęli poszczególni dowódcy armii". W ślad za każdą z pięciu armii niemieckich posuwały się grupy operacyjne policji i sił bezpieczeństwa (Einsatzgruppen), którym zlecono zadanie likwidacji inteligencji polskiej, działaczy społecznych i politycznych.

Dowództwo Wehrmachtu sprawowało władzę w Polsce do 25 października 1939 r. (według orientacyjnych danych w egzekucjach zamordowano wówczas 16 tysięcy osób). Początkowo Niemcy rozpatrywali ewentualność powołania szczątkowego państwa polskiego (Reststaat), ale z zamierzeń tych rychło zrezygnowali z powodu:

- niepodjęcia rokowań pokojowych z państwami zachodnimi;
- niechęci Stalina do takiego rozwiązania;
- braku liczących się kół polskich skłonnych do kolaboracji.

25 października 1939 r. weszły w życie dekrety Hitlera, na mocy których Wielkopolskę, Pomorze, Górny Śląsk i ziemię łódzką wcielono do Rzeszy, a z pozostałych ziem pod okupacją niemiecką utworzono tzw. Generalne Gubernatorstwo, do którego po wybuchu wojny niemiecko-sowieckiej włączono jeszcze Małopolskę Wschodnią. Szczupłe ramy tego opracowania nie pozwalają na analizę różnic w statusie obu obszarów ani wahań w polityce niemieckiego okupanta wobec społeczeństwa polskiego. Dość powiedzieć, że odtąd Polakom brutalnie i bezwzględnie towarzyszyć miała polityka wyzysku, eksterminacji, wysiedleń, degradacji kulturalnej, rabunku, germanizacji. Szczególnie tragiczny los spotkał ludność żydowską, którą najpierw skupiono w odizolowanych dzielnicach miast, a następnie poddano fizycznej eliminacji w obozach zagłady.

Ciężkie było także położenie ludności polskiej na ziemiach przyłączonych do ZSRR. Niezależnie od aktów eksterminacji, której symbolem stała się zbrodnia katyńska, najbardziej widocznym elementem polityki władz radzieckich wobec ludności polskiej były masowe, przeprowadzone w kilku fazach, wysiedlenia. Objęły one (szacunki są tu zróżnicowane) około miliona osób. Władze zamierzały pozbyć się ze strefy przygranicznej ludności, którą,

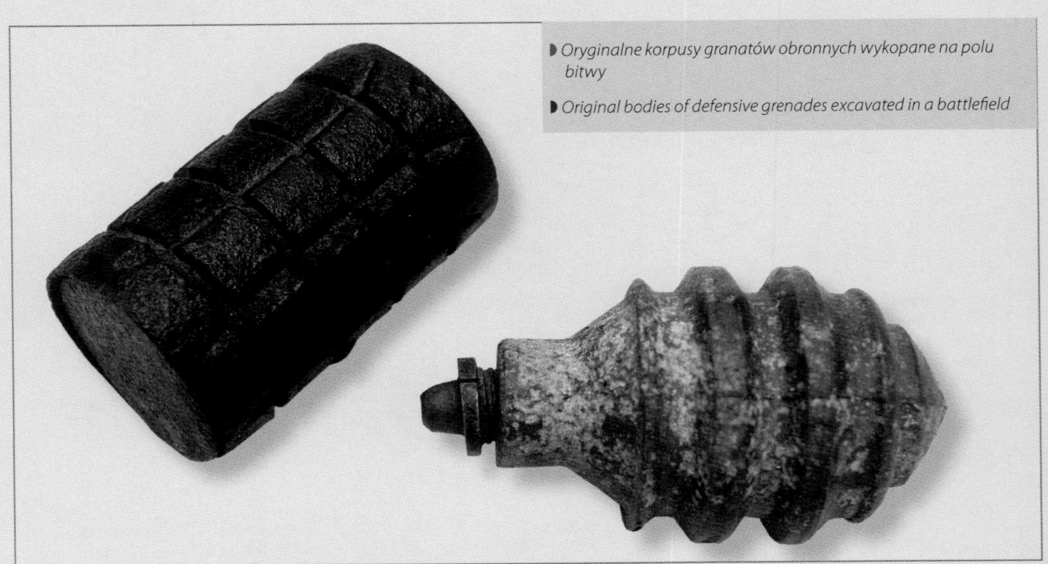

Oryginalne korpusy granatów obronnych wykopane na polu bitwy

Original bodies of defensive grenades excavated in a battlefield

The Beginning of Resistance

The conquest of Poland and gradual extermination of its population were the execution of the German policy of colonizing land between the Warta, Vistula and Bug rivers. The entering German forces announced the Polish population that according to General Walter Brauchitsch, the commander-in-chief of the invasion forces "on all lands taken by the Germans, executive power belongs to army commanders." Along with each German army there were police groups and the security service, Einsatzgruppen, assigned with tracking and eliminating Polish social leaders.

Till October 25, 1939 Wermacht's commanders were in charge of events in Poland. According to rough estimates about 16,000 people were murdered in that time. At first the German leadership anticipated maintaining a submissive to the Third Reich Polish state, Reststaat, but as no place talks with the Allies were held, Stalin's firm rejection of that idea and no important Polish political circles were willing to cooperate, that plan was given up.

On October 25, 1939, by Hitler's decrees Wielkopolska, Pomerania, Upper Silesia and the Lodz area were annexed by the Third Reich and on the remaining

Konspiracyjny powielacz firmy **Iskra-Krzemiński.** *Podziemna prasa i ulotki organizacji konspiracyjnych stanowiły oręż w walce o serca i umysły Polaków*

A mimeograph used by the resistance movement in Poland, produced by **Iskra-Krzemiński** *company. The press and leaflets of underground organisations were weapons in the fight for the Poles' hearts and minds*

Pistolet niemieckiej firmy **Walther PP** *kal. 7,65 mm*

The German **Walther PP** *7.65 mm pistol*

i słusznie, podejrzewano o nielojalność wobec komunistycznego państwa. Tych, którzy pozostali, w szybkim tempie indoktrynowano.

Społeczeństwo polskie od początku przyjęło wobec najeźdźcy jednolitą, wrogą postawę. Spontanicznie powstawały organizacje konspiracyjne, z których wymienić tu można tylko najważniejsze (Tajna Organizacja Wojskowa, Polska Organizacja Walki o Wolność, Organizacja Orła Białego, Komenda Obrońców Polski).

W pierwszym okresie okupacji działały także oddziały partyzanckie, złożone z żołnierzy, którzy nie oddali broni po klęsce wrześniowej. Głównym terenem działalności partyzantki powrześniowej stały się Bory Tucholskie, Podlasie, Kielecczyzna, Lubelszczyzna i Podhale. Szczególnie duży rozgłos spośród kilkudziesięciu działających po zakończeniu kampanii wrześniowej oddziałów zdobył sobie oddział dowodzony przez mjr. Henryka Dobrzańskiego „Hubala", operujący aż do maja 1940 r. w południowo-zachodniej części Kielecczyzny, i oddział ppłk. Jerzego Dąbrowskiego, działający w lasach augustowskich pod okupacją sowiecką. Część oddziałów partyzanckich została zlikwidowana przez okupanta, inne natomiast rozwiązały się, przechodząc do działalności konspiracyjnej i dając nierzadko początek nowym organizacjom podziemnym.

Jeszcze trwała obrona Warszawy, a już wśród jej dowódców rodziła się myśl tworzenia wojska podziemnego – organizacji konspiracyjnej zdolnej w przyszłości (spodziewano się, że w bliskiej) do prowadzenia efektywnej walki z okupantem o odzyskanie utraconej niepodległości.

Około 20 września do oblężonej Warszawy przedostał się gen. Michał Tokarzewski-Karaszewicz i z nominacji gen. Juliusza Rómmla objął funkcję jego zastępcy oraz przedstawiciela w Komitecie Obywatelskim Obrony Stolicy. W ciągu następnych kilku dni Tokarzewski prowadził intensywne rozmowy (między innymi z prezydentem Stefanem Starzyńskim i wybitnym działaczem PPS – Mieczysławem Niedziałkowskim) na temat dalszych działań po spodziewanej kapitulacji stolicy.

26 września, na odprawie dowódców wielkich jednostek i odcinków obrony zwołanej przez gen. Juliusza Rómmla, po burzliwej dyskusji powzięto decyzję o kapitulacji. W godzinę po zakończonej odprawie do gen. Rómmla zgłosił się gen. Michał Tokarzewski-Karaszewicz i przedstawił mu projekt utworzenia tajnej organizacji wojskowej. Rómmel w zasadzie nie zgłosił sprzeciwu, jednakże z osta-

Michał Bylina, **Goniec do leśnych.**

Michał Bylina, **Messenger to a guerrilla forest unit**

land the General Government was established. After the breakout of the German-Soviet war, the Germans also annexed eastern Malopolska to the Government. Unfortunately, the size of that volume does not permit to discuss the status of both territories and to describe precisely the German policy toward the Polish nation. It is enough to say that the Poles were exploited, exterminated, displaced and germanised. Polish culture was destroyed and robbed. The fate of the Jewish population was particularly tragic. Jews were first isolated in distinct city districts and then transported to extermination camps.

The Soviet actions ordered by Stalin also executed the policy of colonization. The displacement policy affected about 1,000,000 people suspected of not being loyal to the Soviet Union from the Polish eastern frontier. The rest of the population was indoctrinated. The Soviet extermination process carried out along with the displacement was symbolized by the murder of Polish officers in Katyn.

The Polish nation resisted the enemy from the first days of the invasion. Resistance organizations, for example the Secret Military Organization (Tajna Organizacja Wojskowa), the Polish Organization of Fighting for Freedom (Polska Organizacja Walki o Wolność) and the White Eagle Organization (Organizacja Orła Białego) were established voluntarily.

Immediately after the Polish defeat in 1939, several units of the regular Polish Army shifted to guerrilla combat. Their main areas operations were the Tucholskie Woods, Podlasie, the Kielce region, the Lublin region and the Polish Tatra Highlands. One of the most famous guerrilla units operating till May 1940 in the southwest Kielce region was commanded by Major Henryk "Hubal" Dobrzański. The other worth mentioning unit operating in the woods around Augustow, in the Soviet territory was commanded by Lieutenant Colonel Jerzy Dąbrowski.

However, most of the guerrilla units were destroyed or disbanded with its members often establishing conspiratorial organizations.

Even during the defence of Warsaw, Polish commanders in the besieged city thought of creating an underground army capable of effective fighting for the independence in the nearest future.

Generał Stefan Rowecki „Grot", dowódca podległego Rządowi Polskiemu w Londynie **Związku Walki Zbrojnej** *przekształconego w lutym 1942 roku w* **Armię Krajową**

General Stefan Grot-Rowecki, Commander of the Union of Armed Struggle, subordinated to the Polish government in exile, in February 1942 transformed in the Home Army

teczną decyzją postanowił wstrzymać się do czasu nawiązania kontaktu z przybyłym z Rumunii drogą lotniczą wysłannikiem Naczelnego Wodza.

Następną rozmowę z Rómmlem Tokarzewski odbył o pierwszej w nocy (26–27 września). Okazało się, że wysłannik Rydza – mjr Edmund Galinat – przybył z zadaniem organizowania dywersji. Rómmel przekazał majora do dyspozycji Tokarzewskiego, wyrażając zgodę, by Tokarzewski kierował projektowaną organizacją, na której cele Rómmel przeznaczył kwotę 750 tys. złotych

26–27 września Tokarzewski dysponował zespołem nieprzekraczającym kilkunastu osób. 27 września, na spotkaniu z paroma wtajemniczonymi oficerami Tokarzewski oświadczył, że zakładana organizacja nosić będzie nazwę Służba Zwycięstwa Polski (SZP).

Rozwój organizacyjny SZP przerwały decyzje Sikorskiego. 13 listopada 1939 r. generał utworzył Komitet Ministrów dla Spraw Kraju z gen. Kazimierzem Sosnkowskim, mianowanym komendantem głównym Związku Walki Zbrojnej, organizacji powołanej w celu podjęcia przygotowań do walki czynnej. Po klęsce Francji na stanowisku komendanta ZWZ nastąpiła zmiana. Komendantem został gen. Stefan Rowecki.

Głównym celem Związku Walki Zbrojnej miało być przygotowanie powstania powszechnego, które wybuchnie, jak oczekiwano, w chwili wkroczenia do kraju Polskich Sił Zbrojnych u boku wojsk aliantów zachodnich. Przygotowania te konspiracja wojskowa miała prowadzić we współpracy z pionem cywilnym, kierowanym przez Delegaturę Rządu na Kraj. Akcji zbrojnych prowadzonych przez oddziały partyzanckie nie przewidywano, aby nie prowokować represji okupanta. Zadaniem priorytetowym była akcja scalenia, czyli skupienia w jednej armii podziemnej podporządkowanej władzom RP na Uchodźstwie wszystkich powstałych w kraju organizacji konspiracyjnych, w tym powołanych przez stronnictwa polityczne.

Organizacje zbrojne Polski Walczącej

W 1942 r. gen. Sikorski, pragnąc zakończyć przedłużającą się akcję scaleniową, w miejsce ZWZ powołał do życia Armię Krajową, także z gen. Roweckim na czele. Rozkaz ten posłużył jako środek nacisku na opierające się dotąd scaleniu silne organizacje konspiracyjne o wyraźnym profilu politycznym – Bataliony Chłopskie i Narodowe Siły Zbrojne.

Bataliony Chłopskie były organizacją powołaną przez konspiracyjnych działaczy Stronnictwa Ludowego. W walce z okupantem koncentrowały główne wysiłki na osłabieniu jego potencjału gospodarczego, zwalczaniu i dezorganizacji aparatu administracyjnego i politycznego, a także uderzały na posterunki, więzienia, transport kolejowy i dro-

Naszywka na mundur lub inne ubranie żołnierza Batalionów Chłopskich oddziału „Orkan" z Gór Świętokrzyskich

A Peasants' Battalions soldier's uniform (or some other item of clothing) tag. The soldier was of the „Orkan" Unit of the Świętokrzyskie Mountains

About September 20, General Michał Tokarzewski-Karaszewicz slipped to Warsaw through the German lines. He was appointed the executive officer by General Juliusz Rómmel and became his representative in the Citizen's Committee of Capital's Defence. During the following few days Tokarzewski discussed, among others with Stefan Starzyński, the president of Warsaw, and Mieczysław Niedziałkowski, important member of the Polish Socialist Party, future actions after the anticipated capital's surrender.

On September 26, during a meeting of higher military commanders, summoned by General Rómmel, the decision to surrender has been made. In an hour from the meeting Michał Tokarzewski-Karaszew presented to General Rómmel the idea of an underground military organization. Rómmel did not reject the idea, but he delayed the final decision till the arrival of the C-in-C's envoy. He was supposed to arrive in Warsaw by air from Romania.

The next meeting between Rómmel and Tokarzewski was held at 1 a.m. in the night from September 26/27. The C-in-C's envoy, Major Galinat, arrived with orders to launch sabotage operations in occupied Poland. The Major became Tokarzewski's subordinate. Moreover, Rómmel established a 750,000-zlotys budget of Tokarzewski's organization.

Between September 26 -27, Tokarzewski's staff consisted of only a dozen or so men. During a meeting held on September 27, the General announced the name of the new organization – the Service for Victory of Poland (Służba Zwycięstwa Polski).

Development of the Service for Victory of Poland was stopped by General Sikorski's decisions. On November 13, 1939, General Sikorski established the Committee of Ministers on National Issues, including General Kaziemierz Sosnkowski who was appointed the commander-in-chief of the Union of Armed Struggle, an organization set up to prepare the military actions. After the French defeat General Stefan Rowecki became the new commander-in-chief of the Union of Armed Struggle.

The main objective of the Union of Armed Struggle was to prepare a national uprising that would break out in the moment of entering occupied Poland by the Polish Armed Forces, along with the Western Allies. These conspiratorial preparations were to be coordinated with a civilian department headed by the Delegation of the Polish Government in Exile. No military operations were anticipated as not to cause enemy reprisals. Another priority was to unite all underground organizations, including those set up by political parties, in one army subordinate to the Polish Government in Exile.

Polish Resistance Organizations

In 1942, General Sikorski in order to end the unification process established the Home Army, also headed by General Rowecki. Sikorski's order was to serve as means of pressure on two significant underground organizations with political intentions – the People's Battalions and the National Armed Forces.

The People's Battalions were set up by the underground People's Party. Their objective was to attack economic abilities of the enemy, disrupt his political and administrative apparatus and attack its outposts, prisons and railroad and road transport. One of the most important actions undertaken by the People's Battalions was to disrupt the enemy

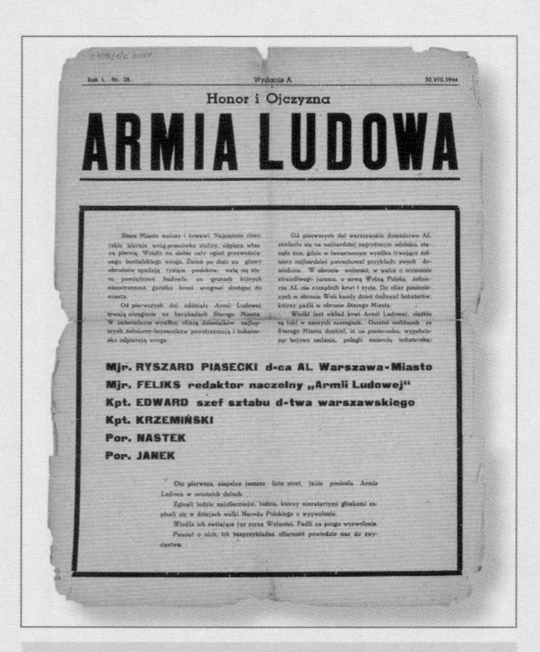

Rok I. Nr. 28. Wydanie A 30.VIII.1944

Honor i Ojczyzna

ARMIA LUDOWA

Stare Miasto walczy i krwawi. Najcięższe ciosy, jakie kieruje wróg przeciwko stolicy, odpiera własną piersią. Wzięło na siebie cały ogień przeważającego, bestialskiego wroga. Dzień po dniu na głowy obrońców spadają tysiące pocisków, walą się stare, pamiątkowe budowle, na gruzach których nieustraszona garstka broni wrogowi dostępu do miasta.

Od pierwszych dni oddziały Armii Ludowej trwają nieugięcie na barykadach Starego Miasta. W śmiertelnym wysiłku, ofiarą dziesiątków najlepszych żołnierzy-bojowników powstrzymują i bohatersko odpierają wroga.

Od pierwszych dni warszawskie dowództwo AL znalazło się na najbardziej zagrożonym odcinku, stanęło tam, gdzie w bezustannym wysiłku trwający żołnierz najbardziej potrzebował przykładu swych dowódców. W obronie wolności, w walce o zrzucenie straszliwego jarzma, o nową Wolną Polskę żołnierze AL nie szczędzili krwi i życia. Do ofiar poniesionych w obronie Woli każdy dzień dodawał bohaterów, którzy padli w obronie Starego Miasta.

Wielki jest wkład krwi Armii Ludowej, ciężkie są luki w naszych szeregach. Ostatni meldunek ze Starego Miasta doniósł, iż na posterunku, wypełniając bojowe zadania, polegli śmiercią bohaterską:

Mjr. RYSZARD PIASECKI d-ca AL. Warszawa-Miasto
Mjr. FELIKS redaktor naczelny „Armii Ludowej"
Kpt. EDWARD szef sztabu d-twa warszawskiego
Kpt. KRZEMIŃSKI
Por. NASTEK
Por. JANEK

Oto pierwsza, niepełna jeszcze lista strat, jakie poniosła Armia Ludowa w ostatnich dniach.

Zginęli ludzie najofiarniejsi, ludzie, którzy niezatartymi głoskami zapisali się w dziejach walki Narodu Polskiego o wyzwolenie.

Wiodła ich świtająca już zorza Wolności. Padli na progu wyzwolenia.

Pamięć o nich, ich bezprzykładna ofiarność powiedzie nas do zwycięstwa.

„Armia Ludowa" – organ centralny dowództwa Armii Ludowej, dwutygodnik, w okresie od 1 lutego do 22 lipca 1944 roku ukazało się 9 numerów. W czasie powstania gazetka ukazywała się codziennie

„Armia Ludowa", the central organ of the Command of the People's Army, a bi-weekly; from 1 February to 22 July 1944 nine issues were published. In the time of the Warsaw Uprising the paper appeared every day

i odwetową AK koordynowało Kierownictwo Walki Podziemnej. Ważną rolę w szkoleniu członków oddziałów odegrali przybyli z Anglii skoczkowie, cichociemni.

W 1943 i 1944 r. nastąpił znaczny wzrost aktywności bojowej AK. Było już wtedy oczywiste, że do kraju wejdą nie Polskie Siły Zbrojne w obecności sił aliantów zachodnich, ale Armia Czerwona. Zmusiło to dowództwo AK do zrewidowania planów powstania powszechnego i przyjęcia koncepcji akcji „Burza". Polegała ona na masowym uderzeniu oddziałów AK na wycofujące się przed frontem oddziały niemieckie i przejmowaniu władzy w terenie przez struktury podporządkowane władzom RP na Uchodźstwie.

Do najważniejszych akcji AK należały:

- uderzenia na transport niemiecki, w tym akcja „Wieniec", czyli wysadzenie torów wokół Warszawy;
- przekazanie aliantom informacji o pracach nad bronią V, co umożliwiło lotnictwu sojuszników nalot na ośrodek w Peenemünde;
- akcja odbicia więźniów pod Arsenałem w Warszawie;
- zamachy na przedstawicieli władz okupacyjnych, w tym najgłośniejszy z nich – na Kutscherę.

W okresie akcji „Burza" oddziały AK stoczyły wielkie bitwy partyzanckie. Na szczególną uwagę zasługują działania 27 Dywizji na Wołyniu, próby zajęcia Wilna i Lwowa, marsze na odsiecz powstańczej Warszawie w sierpniu 1944 r.

Osobną kartę w dziejach AK stanowiło Powstanie Warszawskie. Liczebność Armii Krajowej oceniana jest różnie, mogła sięgać 400 tys. członków.

Jedyną organizacją, która otwarcie nie uznawała zwierzchności władz polskich w Londynie, była Polska Partia Robotnicza i jej ramię zbrojne – Gwardia Ludowa, potem Armia Ludowa. Organizacje komunistyczne w początkowym okresie swej działalności unikały ogłaszania stanowiska programowego. Sytuacja zmieniła się po napaści Niemiec na Związek Radziecki. Od tego momentu nastąpiła aktywizacja środowisk komunistycznych. Przełom stanowiła decyzja Kominternu o odbudowie partii komunistycznej w Polsce. Zadania tego podjęli się zrzuceni 28 grudnia 1941 r. pod Warszawą członkowie tzw. Drugiej Grupy Inicjatywnej. 5 stycznia roku następnego powołali Polską Partię Robotniczą z M. Nowotką, B. Mołojcem i P. Finderem.

W październiku 1942 r. przy Sztabie Gwardii Ludowej powołano specgrupę do bieżących akcji dywersyjnych.

Priorytet w działalności GL stanowiły takie działania bojowe, które w maksymalnym stopniu przybliżą wkroczenie do Polski Armii Czerwonej. Dlatego tam, gdzie było to możliwe, zakładano oddziały partyzanckie i atakowano transport kolejowy okupanta. Znaczny procent w oddziałach GL stanowili zbiegli z niewoli jeńcy sowieccy. Potem przechodzili oni do silnych i dobrze uzbrojonych sowieckich oddziałów partyzanckich, które w 1943 i 1944 r. przybywały na ziemie polskie.

Podziemiem komunistycznym wstrząsały problemy wewnętrzne: śmierć Nowotki, aresztowanie

began to fight the Germans only after American forces showed up.

From fall 1942 actions of the Union of Armed Struggle and the Home Army shifted from only sabotage to sabotage and guerrilla combat. To achieve the goal of preparing the national uprising and conducting necessary operations the structure of the Home Army was reorganized. In early spring of 1940, the High Command of the Union of Armed Struggle established a separate department, the Retaliatory Union. That union became the most important unit to conduct sabotage the enemy. On the turn of 1942/1943 it was reorganized into the Sabotage Command (Kierownictwo Dywersji, Kedyw) and took over responsibilities of other sabotage units, for example it conducted operation "Fan" (Wachalrz). The Sabotage Command consisted of the most loyal Polish youth, including scouts from Grey Ranks (Szare Szeregi). Among other conspiratorial underground assault units in Warsaw there were the legendary Zośka and Parasol scout battalions. All combat, sabotage and retaliatory operations of the Home Army were commanded by the Command of Underground Combat. Special Forces paratroopers (cichociemni) from Great Britain provided training.

In 1943 and 1944 the Home Army increased intensity of its operations. By that time it was clear for the Polish commanders that it will be Red Army to enter Poland and not the Polish Armed Forces with the Western Allies. In that situation commanders of the Home Army had to change the plans of the national uprising and therefore launched operation Storm (Burza). Its main objectives were to launch a major attack on the withdrawing German forces and taking control over captured territories, on the behalf of the Polish Government in Exile in London.

The most important actions of the Home Army included attacking German railroad transportation system and operation Wieniec, blowing up rail tracks around Warsaw, delivering the Western Allies information on German V weapons and Peenemunde that allowed the Allies to bomb the site, rescuing prisoners by the Arsenał in Warsaw and assassinations of German officials from occupation authorities, including General Kutschera.

Butelka z płynem zapalającym i granaty z podziemnych warsztatów. Produkcja środków walki rozwinięta została w okupowanej Polsce na skalę niespotykaną w innych krajach

Bottle with incendiary liquid and grenades made in clandestine workshops. Production of various weaponry was developed in occupied Poland on an unparalleled scale as compared with other occupied countries

During operation Burza the Home Army fought great guerrilla battles. Particularly important was the effort of the 27th Division in Volhynia, attempts to take Vilna and Lvov and attempts to reach Warsaw during the uprising.

A separate chapter in the Home Army's history is the Warsaw uprising. By that time it is estimated that the army could total up to 400,000 men.

The only organization that rejected power of the Polish Government in Exile was the Polish Worker's Party and its military branch, the People's Guard, later changed into the People's Army. Communist organization did not announce their programs during the first stage of occupation, but after the German invaded the Soviet Union, they became very active. The Soviet Politbureau decided to rebuild the communist party in Poland. It was the task of the 2nd Initiative Group dropped near Warsaw on December 28, 1941. On January 5, 1942, they established the Polish Worker's Party headed by Nowotko, Mołojec and Finder. In October 1942 a special group for sabotage operations was established.

Członkowie konspiracyjnego Związku Harcerstwa Polskiego „Szare Szeregi na pierwszej linii ognia

Young soldiers of the „Szare Szeregi" underground Polish Scouts' Association in action

Findera. W efekcie przywódcą partii przy braku możliwości konsultacji z Moskwą został Władysław Gomułka.

Na przełomie 1943 i 1944 r. powołana została do życia przez PPR i współpracujące z nią koła Krajowa Rada Narodowa jako namiastka władzy ustawodawczej. Oznaczało to jawne zamanifestowanie dążenia do utworzenia władz niezależnych od Rządu RP na Uchodźstwie, któremu odmówiono prawa do reprezentowania narodu polskiego. Rada powołała do życia Armię Ludową, przekształconą z GL. Stoczyła ona wielkie bitwy partyzanckie na Lubelszczyźnie – pod Rąblowem, w lasach lipskich, janowskich i Puszczy Solskiej, a potem na Kielecczyźnie.

Na najwyższy szacunek zasługuje próba zbrojnego przeciwstawienia się Niemcom przez skazaną na zagładę ludność żydowską. Powstały organizacje konspiracyjne Żydów – Żydowski Związek Wojskowy i Żydowska Organizacja Bojowa. 19 kwietnia 1943 r. wybuchło powstanie w getcie warszawskim. Oddziały bojowców (ok. 600 ludzi) przeciwstawiły się wkraczającym do getta grupom ekspedycyjnym Stroopa, które miały wywieźć do obozów zagłady pozostałych tu jeszcze mieszkańców. Zorganizowany opór mimo beznadziejnej sytuacji trwał do 8 maja, gdy padł bunkier kierownictwa powstania przy Miłej.

Polacy licznie uczestniczyli też w ruchu oporu narodów Europy – Francji, Czech i Słowacji, Jugosławii itp. Do legendy przeszła postać Jerzego Szajnowicza-Iwanowa, „agenta nr 1", bohatera wielu akcji sabotażowo-dywersyjnych na terenie okupowanej Grecji.

Powstanie Warszawskie

Osobny i pełen chwały rozdział w dziejach narodu polskiego zapisała ludność stolicy Polski podczas Powstania Warszawskiego.

Rano 26 lipca odbyła się narada Komendy Głównej AK z udziałem Delegata Rządu Jana Stanisława

Generał Tadeusz Bór-Komorowski, w okresie 17 lipca 1943 – 2 października 1944 Komendant Główny Armii Krajowej, na zdjęciu w trakcie rozmów o kapitulacji Powstania Warszawskiego w kwaterze niemieckiego generała von dem Bacha

General Tadeusz Bór-Komorowski. General Tadeusz Bór-Komorowski from July 17, 1943 to October 2, 1944 the Supreme Commander of the Home Army, in headquarters of General von dem Bach negotiating conditions of surrender for the Warsaw Uprising

The main objective of the People's Guard was to enable the Red Army the easiest possible entry to Poland. Therefore, its units attacked the enemy transportation system wherever I was possible. Gross percentage of the People's Guard consisted of Russian prisoners who escaped the Germans. They joined strong and well armed Soviet guerrilla units that arrived in Poland in 1943 and 1944.

Internal problems shook the communist circle: Nowotko died and Finder was arrested. As a result, due to the lack of communication with Moscow Władysław Gomułko became the communist leader.

On the turn of 1943/1944 the Polish Worker's Party established the National State Council, the surrogate of the legislative branch of power. That event expressed the Soviet desire to establish an independent from London Polish government and denied the London government the exclusive right to represent the Polish nation. The council developed the People's Guard into the People's Army. The army fought instnsive battles in the Lublin region near Rablowo, in the woods of Lipsk, Janow and in the Solska Forest, and then headed for the Kielce region.

The most respectable attempt to resist the enemy was undertaken by the Jewish population already doomed to death. Two Jewish organizations, the Jewish Military Union and the Jewish Combat Organization, started an uprising in the Warsaw ghetto on April 19, 1943. Jewish units, consisting of about 600,000 men resisted the German forces of General Stroop, who was to transport the Jews to the extermination camps. The uprising lasted till May 8, when the command bunker was captured by the Germans.

The Warsaw Uprising

Another glorious chapter in the history of the Polish nation was written by the population of Warsaw during the Warsaw Uprising.

On morning, July 26, the commander of the Home Army had a meeting with Jan Stanisław Jankowski, the Delegate of the Polish Government, General Albin "Łaszcz" Skorczyński, the commander of the Warsaw area and Colonel Antoni "Monter" Chruściel, the commander of the Warsaw district. After General Pełczyński presented the situation, on the request of the Home Army's CO, everyone expressed their opinions. There were few discrepancies in opinions and everyone agreed that fighting in Warsaw is necessary. Considering the situation after the Red Army's advance in Poland and the national hatred of the enemy launching a major attack is inevitable. Only the date of the future uprising was controversial. With the approval of the Delegate, General Komorowski decided that depending on the military situation near Warsaw, the uprising would break out in the following few days.

On July 29, during a morning briefing W hour was set on 5 p.m. It was also decided that the precise date of launching the attack would be given at least twelve hours that is on the day before the

Mundur powstańczy podchorążego Jerzego Sienkiewicza **ps. Rudy**

The insurgent uniform of Jerzy Sienkiewicz, alias **Rudy**

Jankowskiego, dowódcy obszaru warszawskiego gen. Albina Skroczyńskiego „Łaszcza" i dowódcy okręgu warszawskiego płk. Antoniego Chruściela „Montera". Po zapoznaniu się z sytuacją, którą zreferował gen. Pełczyński, na żądanie dowódcy AK zebrani przedstawili swoje poglądy. Rozbieżności poważniejszych nie było, wszyscy byli zgodni, że od walki w Warszawie – biorąc pod uwagę rozwój sytuacji w kraju po wkroczeniu Armii Czerwonej, jak i nastroje społeczeństwa pałającego nienawiścią do okupanta – uchylać się nie można. Jedyną sprawą, budzącą poważniejsze kontrowersje, było określenie momentu podjęcia walki. W porozumieniu z Delegatem Rządu gen. Komorowski zdecydował, że walka – w zależności od rozwoju sytuacji wojskowej na przedpolu Warszawy – podjęta zostanie w ciągu najbliższych dni.

29 lipca na przedpołudniowej odprawie Komendy Głównej ustalono godzinę „W" na 5.00 po południu. Ustalono także, że decyzja określająca datę podjęcia walki powinna zapaść co najmniej 12 godzin wcześniej, czyli w dniu poprzedzającym wybuch powstania. Tego dnia w dzienniku niemieckiej 9 Armii zanotowano: „Oczekiwany jest wybuch działań powstańców polskich w Warszawie o godz. 23".

W dniach 29–31 lipca w Warszawie słychać było wprawdzie huk dział, ale paniczna ewakuacja Niemców z Warszawy – jaką można było obserwować w poprzednich dniach – ustała. 30 lipca, w toku wspólnych działań AK i oddziałów Armii Czerwonej, zdobyte zostały Radzymin i Wołomin. Tego samego dnia rozpoczęło się niemieckie przeciwnatarcie na przedpolu Warszawy. Wieczorem 31 lipca oddziały niemieckie przejęły inicjatywę. Dzień później oddziały Armii Czerwonej przeszły do obrony.

W toku przedpołudniowej odprawy 31 lipca, po dłuższej dyskusji, wobec rozbieżności zdań, zdecydowano się na głosowanie. Na 7 głosujących tylko 3 wypowiedziało się za natychmiastowym powstaniem 1 sierpnia. Generałowie Komorowski i Pełczyński nie brali udziału w głosowaniu. W godzinach popołudniowych na posiedzeniu Rady Jedności Narodowej z udziałem dowódcy AK i Delegata, na którym dyskutowano sprawę powstania, decyzji również nie podjęto.

Odprawa popołudniowa sztabu była wyznaczona na godz. 18.00. O 17.00 Chruściel zameldował Komorowskiemu, że czołgi sowieckie są już na Pradze. Po krótkiej naradzie, w której wzięli udział szef sztabu, gen. Pełczyński i szef operacji, gen. Okulicki, uznano, iż nadszedł właściwy moment powstania. Około godz. 19.00 dowódca okręgu warszawskiego wydał rozkaz: „Alarm. Do rąk własnych komendantów obwodów. Dnia 31.7. godz. 19.00. Nakazuję »W« dnia 1.8. godz. 17.00". Z powodu jednak rozpoczynającej się o 20.00 godziny policyjnej, rozkaz ten dotarł do niektórych obwodów dopiero następnego dnia rano, a do dowódców plutonów w godzinach popołudniowych. W przygotowania powstańcze zaczął się wkradać pośpiech, nie było czasu na zachowanie koniecznej ostrożności. W toku mobilizacji doszło do licznych starć już przed godziną „W". Garnizon niemiecki został zaalarmowany.

Siły Armii Krajowej w okręgu warszawskim wynosiły około 50 tys. ludzi. Jednak na skutek trudności mobilizacyjnych, powstanie rozpoczęto znacznie

Stefan Garwatowski, **Zdobycie „Pasty"**. *Zdobycie 20 sierpnia 1944 roku budynku „Pasty" (Polskiej Akcyjnej Spółki Telegraficznej), gdzie mieściło się niemieckie centrum łączności, było jednym z najważniejszych sukcesów Powstania Warszawskiego*

Stefan Garwatowski, **The "Pasta" Captured**. *One of the biggest successes of the Warsaw Uprising was capturing (on 20 August 1944) the "Pasta" (Polish Telegraphic Joint-Stock Company) building where German communications centre was situated*

attack. On that day, it was written down in the Ninth Army's log: "The outbreak of a Polish uprising in Warsaw is anticipated today at 11 p.m."

On July 29 – 31, crack of gunfire was audible, but no the rapid German flee that could have been observed in the previous days ended. On July 30, in cooperation of the Home Army and the Red Army Radzymin and Wolomin were liberated. On that same day the Germans also launched a counterattack. By the evening on July 31, the Germans took over the initiative. On August 1, the Soviet forces were forced to defend themselves.

During a morning briefing on July 31, due to the long argument on setting the date of the Polish attack, voting was ordered. From seven people voting only three of them was for an immediate beginning of the uprising on August 1. General Komorowski and Pełeczyński did not vote. In the afternoon, during a gathering of the National Unity Council with the CO of the Home Army and the Delegate the issue of the uprising was discussed, but still no decisions were made.

The afternoon briefing of the High Command was set on 6 p.m. At 5 p.m. Chruściel reported to Komorowski that the Soviet tanks were already in Praga. During a short council of war with the Chief of Staff, General Pełczyński and the Chief of Operations, General Okulicki, it was decided that the right time for the uprising has come. About 7 p.m. the commander of the Warsaw district ordered: "Alert. For district commanders only. 31.7, 7 p.m. I order "W" on 1.8. at 5 p.m." However, due to the curfew beginning at 8 p.m. that order was delivered to some district commanders only in the morning on the following day. Some platoon leaders were informed about the situation only in the afternoon. All preparations were made in a hurry without the sufficient security. During the process of mobilizing street fighting began even before the "W" hour. The German garrison was alerted.

The Home Army's forces in the district of Warsaw totalled about 50,000 men, but due to difficulties with mobilization the uprising began with a significantly smaller force of 25,000 soldiers, only ten per cent of whom were armed. Despite the surprise, other conspiratorial organizations joined the uprising. Moreover, the uprising was widely supported by the population of Warsaw, which made for an early success of Polish combatants.

When the uprising began the German garrison in Warsaw was 20,000 troops. Since August 4, on Himmler's order new troops, including those of the German 9th Army defending Warsaw, began to reinforce the city. Overall command over 50,000 men supported by armour, artillery and aircraft to suppress the uprising was given to the SS general Erich von dem Bach.

Despite the fact that the Germans were already warned, the guerrilla units captured several German structures in most the city centre as well as the quarters of Powisle, part of Zoliborz, Mokotow, Wola, Old Town, Ochota and in some parts of Praga. However, Germans managed to hold key structures

mniejszymi siłami – około 25 tys. żołnierzy, z których niecałe 10% było uzbrojonych. Mimo zaskoczenia decyzją powstania, do walki przyłączyły się także inne organizacje konspiracyjne. Powstańczy zryw został masowo poparty przez ludność Warszawy, co w znacznym stopniu zdecydowało o początkowych sukcesach.

W momencie wybuchu powstania garnizon niemiecki liczył około 20 tys. żołnierzy. Od 4 sierpnia na rozkaz Himmlera zaczęły napływać do Warszawy dodatkowe siły, w tym z niemieckiej 9 Armii broniącej kierunku warszawskiego. Dowództwo nad całością objął gen. SS Erich von dem Bach. Łącznie siły niemieckie, jakich użyto do stłumienia powstania, liczyły ponad 50 tys. żołnierzy wspieranych bronią pancerną, artylerią i lotnictwem.

Mimo utracenia czynnika zaskoczenia, oddziały powstańcze zdobyły wiele obiektów niemieckich, opanowując większą część Śródmieścia z Powiślem, część Żoliborza, Mokotowa, Woli, Starego Miasta, Ochoty oraz niektóre obiekty na Pradze. Niemcy zdołali jednak utrzymać najważniejsze obiekty (mosty, dworce, lotnisko, dzielnicę niemiecką, koszary), co utrudniało, a niekiedy uniemożliwiało utrzymanie łączności i kontaktu między poszczególnymi zgrupowaniami powstańczymi.

Ponieważ Niemcy utracili możliwość korzystania z warszawskich tras przelotowych wschód–zachód, i to w momencie szczególnie dla nich niedogodnym, bo w chwili gdy prowadzili zacięte walki

Powstańczy pluton miotaczy ognia

An insurgent fire-thrower squad

o utrzymanie przedmościa warszawskiego, dlatego w początkowym okresie, począwszy od 5 sierpnia, główny swój wysiłek skierowali na odblokowanie tych arterii komunikacyjnych. Po zaciętych walkach Niemcom udało się odblokować trasę w kierunku na most Kierbedzia, prowadzącej natomiast przez most Poniatowskiego, mimo podejmowanych prób, nie udało się im przebić do końca powstania.

Do 11 sierpnia Niemcy stłumili powstanie na Woli i Ochocie. Na Pradze upadło ono znacznie wcześniej. W opanowanych dzielnicach miasta Niemcy rozpoczęli eksterminację ludności na niespotykaną skalę. W ciągu dwu dni, 5 i 6 sierpnia, na samej tylko Woli zamordowano prawie 40 tys. osób.

Brak wystarczającej ilości uzbrojenia i amunicji ograniczył ofensywne działania powstańców. Wkrótce też powstanie rozpadło się na kilka izolowanych od siebie ognisk walki: Stare Miasto, Śródmieście, Mokotów, Żoliborz. Utrudniało to nie tylko dowodzenie, ale i uniemożliwiało racjonalne wykorzystanie szczupłych sił i środków. Pozwalało to Niemcom na stosowanie taktyki polegającej na koncentrowaniu swojego wysiłku na jednej zajętej przez powstańców dzielnicy, po której zdobyciu przystępowano do atakowania następnej.

19 sierpnia Niemcy rozpoczęli generalny szturm na Stare Miasto. Następnego dnia, w celu połą-

like bridges, stations, the German quarter and barracks. That often made it difficult (or sometimes even impossible) for the guerrilla units to maintain communication and to join with one another in bigger formations.

Andrzej Tryzno, **Ulica na Woli**. *W pierwszej dekadzie sierpnia wróg dokonał na Woli masakry ludności cywilnej, mordując około 45 tys. ludzi*

Andrzej Tryzno, **A street in Wola quarter**. *In the first decade of August the enemy massacred the civilian population of Wola quarter; over 40 thousand were murdered*

Because Germans had lost Warsaw's East – West routes in the worst possible moment of heavy fighting to hold the suburbs, since August 5, German main effort was to unblock these routes through the city. After heavy fighting the Germans managed to clear the road to the Kierbiedz Bridge, but the way to the Poniatowski Bridge, despite several attempts was blocked to them till the end of the uprising.

Before August 11, the Germans suppressed the uprising in Wola and Ochota. In Praga it ended much sooner. In the captured districts Germans began an unprecedented extermination of citizens. Within two days (August 5 and the 6th) 40,000 people were murdered in the quarter of Wola.

The lack of weapons and ammunition limited the insurgents' offensive potential. Soon the uprising split into several isolated points of resistance: the Old Town, city centre, Mokotow and Zoliborz. This break-up not only made commanding difficult, but also made Poles unable to use appropriately their meagre forces. This situation allowed Germans to

czenia się z Żoliborzem, powstańcy podjęli próbę przebicia się, która się nie powiodła. Po zaciętych walkach, w których toku walczono o każdy dom, wobec groźby likwidacji ośrodka staromiejskiego, podjęto decyzję opuszczenia tej dzielnicy. Po również nieudanej próbie przebicia się do Śródmieścia 31 sierpnia, obrońców ewakuowano kanałami miejskimi.

Po opanowaniu Starego Miasta, Niemcy skierowali swój wysiłek na Śródmieście, dążąc przede wszystkim do odepchnięcia powstańców od brzegów Wisły. Odnieśli tu częściowy sukces, zdobywając 5 września Powiśle. Po jego utracie, jedynym rejonem powstańczym przylegającym bezpośrednio do Wisły pozostał tylko Czerniaków, odcięty 11 września od Śródmieścia.

Od 4 sierpnia do 21 września lotnictwo alianckie i polskie wykonało 24 operacje lotnicze w celu dostarczenia Warszawie uzbrojenia i innych środków walki oraz medykamentów. Możliwość udzielenia tą drogą znaczniejszej pomocy została zablokowana przez Stalina, który odmawiał zgody na lądowanie samolotów alianckich na lotniskach rosyjskich w rejonie Połtawy. Zgoda została wyrażona dopiero w połowie września, gdy na pomoc było już za późno. Symptomatyczne, ale jednoznaczne jest to, iż lotnictwo Armii Czerwonej przystąpiło do działań wspierających powstanie dopiero od 14 września 1944 r. Przegrana bitwa pancerna na przedpolach Warszawy uniemożliwiła Armii Czerwonej dotarcie do Warszawy w początkach sierpnia 1944 r. Ale czym można wytłumaczyć nieobecność lotnictwa sowieckiego nad Warszawą przez półtora miesiąca?! Odpowiedź jest prosta: „warszawska awantura" – jak określił powstanie Stalin – w przypadku sukcesu, tzn. ujawnienia agend rządu RP w wyzwolonej Warszawie, komplikowała znacznie jego polityczne plany, nieudzielenie pomocy konającej stolicy nie groziło niczym. Po 14 września z Zachodu zrzucono około 240 ton zaopatrzenia, z czego tylko ⅓ dotarła do rąk powstańców. Zrzuty sowieckie, w których udział brało także lotnictwo Wojska Polskiego na froncie wschodnim, wyniosły ponad 100 ton, z czego odebrano ok. 80%.

Odepchnąwszy powstańców od Wisły, Niemcy, po likwidacji przyczółków, skoncentrowali swój wysiłek na opanowaniu Mokotowa i Żoliborza. Do 27 września Niemcy zdobyli Mokotów, z którego wydostało się kanałami do Śródmieścia około 2 tys. powstańców. 30 września skapitulował Żoliborz. W tym położeniu dowództwo powstania postanowiło podjąć rozmowy kapitulacyjne. Po kilkudniowych pertraktacjach, 2 października 1944 r. podpisano w Ożarowie pod Warszawą akt kapitulacji, który zapewniał powstańcom prawa jenieckie.

Powstanie warszawskie – toczone w wyjątkowo niekorzystnej atmosferze politycznej – mimo heroizmu żołnierza powstańczego i ludności miasta – upadło. Zaplanowane na 2–3 dni, trwało 63 dni. W toku walk poległo około 18 tys. powstańców, a 25 tys. zostało rannych, straty ludności cywilnej wyniosły około 200 tys. zabitych. Miasto uległo w dużej części zniszczeniu. Straty niemieckie wynosiły około 17 tys. zabitych i zaginionych oraz około 9 tys. rannych.

employ tactics of focusing their effort on one district at the time and then moving on to the other.

On August 19, the Germans launched a major attack on the Old Town district. On the following day, in order to link up with Zoliborz, the guerrillas made an attempt to break through the German lines, but it failed. After heavy fighting for each single house and the threat of downfall of the Old Town resistance point, it was resolved to abandon the district. After the failed attempt to get to the city centre, the guerrillas were evacuated through the sewers.

After capturing the Old Town German troops concentrated on the city centre, repelling the guerrillas from the banks of the Vistula. They partly succeeded as on September 5 they captured Powisle. After its loss the only Polish point of resistance on the bank of Vistula was Czerniakow, which from September 11 was cut off from the city centre.

On September 14, forces of the 1st Belarussian Front including the 1st Polish Army liberated Praga and reached the eastern bank of Vistula. Between September 16 – 21 units of the Polish army crossed the river and captured two small bridgeheads in Czerniakow and Zoliborz. Five battalions that crossed the river did not manage to hold the bridgeheads. Most of the Polish soldiers were killed in action.

From August 4 until September 21, the Allied and Polish air forces conducted 24 air operations the objective of which was supplying the Uprising with weapons and various equipment. The possibility for providing greater air support to the uprising was blocked by Stalin, who refused to permit the Allied aircraft to land on the Russian airfields near Poltava. The permission was granted only in mid-September when it was too late to rescue the uprising. Moreover, symptomatic and unambiguous is the fact that Red Army's air force began to support the uprising only from September 14, 1944. The lost battle of the armoured units on the outskirts of Warsaw delayed the Red Army's progress in early August 1944, but how can the absence of the Soviet air force over Warsaw for a month and a half be explained? The answer is simple: should the "Warsaw disturbance", as Stalin called the uprising, succeed and organizations subordinate to the Polish Government in London be revealed it would have greatly complicated his political plans. On the other hand supporting the dying capital was safe and harmless. Since August 14, the Allies dropped 240 tons of supplies, but only one third of them reached the guerrillas. Soviet airdrops, involving the Polish air force in the Eastern Front, exceeded 100 tons total, out of which 80 per cent reached the guerrillas.

Having repelled the guerrillas from the Vistula and abolishing the bridgeheads, the Germans focused on capturing Mokotow and Zoliborz.

They captured Mokotow before September 27. Only 2,000 guerrillas were evacuated through the sewage system to the city centre. On September 30, Zoliborz surrendered. Under those circumstances commanders of the uprising decided to begin peace talks. After a few days' negotiations the act of capitulation, which provided the guerrillas with the rights of prisoners-of-war, was signed on October 2, 1944 at Ozarow near Warsaw.

The Warsaw Uprising was fought in extremely unfavourable atmosphere and despite the heroic efforts of guerrillas and the city's population it collapsed. Planned for two or three days it lasted for sixty-three. 18,000 guerrillas were killed in action and 25,000 were wounded. Casualties among the civilian population reached about 200,000 killed. The city was destroyed. German casualties reached about 17,000 killed and missing and about 9,000 wounded.

Wojsko Polskie na Wschodzie 1943–1945

The Polish Army in the Soviet Union, 1943 – 1945

Bitwa pod Lenino

Michał Bylina, **Lenino**. *W pobliżu Lenino, nad rzeką Miereją, 1 Dywizja Piechoty im. Tadeusza Kościuszki miała przejść swój chrzest bojowy*

Michał Bylina, **Lenino**. *Near Lenino, on the Mereya River, 1st Tadeusz Kościuszko Infantry Division was to go through its baptism of fire*

Motywy powstania i powtórnego formowania Polskich Sił Zbrojnych w ZSRR, pod dowództwem Zygmunta Berlinga i pod kierownictwem lewicy z Wandą Wasilewską na czele – były więc jasne. Państwo sowieckie, skoro nie wymusiło na Rządzie RP w Londynie ustępstw, postanowiło zrealizować swe plany wobec Polski i Polaków przy pomocy aktywu lewicy polskiej. Lewica zaś wiązała z tym nadzieje na przejęcie w powojennej Polsce władzy. W gruncie rzeczy w latach 1943 i 1944 lewica polska i wojsko formowane w ZSRR były kartą przetargową w grze Stalina z Rządem RP w Londynie. Z pobudek patriotycznych wątpliwości co do konieczności organizowania polskich formacji wojskowych w ZSRR nie miała szeroka rzesza obywateli polskich, która na wieść o powtórnym formowaniu polskich oddziałów tłumnie ruszyła do ośrodków formowania ze wszystkich zakątków ZSRR. Dla nich polskie korzenie Berlinga i Wasilewskiej, przyjęta w obozie sieleckim polska symbolika narodowa i wojskowa oraz chwytliwe hasła walki z Niemcami i potrzeba wyzwolenia kraju były wystarczającą gwarancją polskiej racji stanu.

Józef Stalin w marcu 1943 r. wezwał na Kreml, na rozmowy w sprawie powtórnego formowania jednostek polskich, Wandę Wasilewską i Zygmunta Berlinga, a w kwietniu, po wypłynięciu sprawy mordu oficerów polskich w Katyniu, Biuro Polityczne WKP(b) podjęło polityczną decyzję o formowaniu nowych oddziałów polskich pod auspicjami nieistniejącego wówczas jeszcze Związku Patriotów Polskich. Na czele komitetu powołanego do formowania wojska stanęła Wanda Wasilewska.

Już na pierwszym posiedzeniu uzgodniono, że formowaną jednostką będzie Dywizja piechoty (jeszcze w lutym tego roku Stalin stał na stanowisku, że miały to być polskie bataliony), a ppłk Zygmunt Berling zostanie jej dowódcą (wśród kandydatów na to stanowisko brano również pod uwagę płk. Bolesława Kieniewicza – oficera Armii Czerwonej,

Przyjechały czołgi. Ośrodek formowania i szkolenia jednostek polskich, Sielce 1943 r.

The tanks came. The forming and training centre of Polish units, Sielce 1943

Battle of Lenino

When the Soviet forces repelled the German attack and began moving westward, Stalin decided to deal with Poland in another way. Under command of Colonel Zygmunt Berling and the political leadership of Wanda Wasilewska, the Soviet dictator wanted to establish a leftist government in Poland, that would be submissive to him. Moreover, Polish a left wing hoped for taking over power in the liberated country. That cooperation was Stalin's argument in negotiations with the Polish government in exile in London in 1943 – 1944. Vast numbers of Polish citizens still held in the Soviet Union volunteered for the new army as they were willing to return to their homeland. Furthermore, Polish origins of Berling and Wasilewska became national symbols in recruitment camps. Their origins and the will to fight the Germans guaranteed the Polish loyalty.

In March 1943, Stalin discussed the issue of forming new Polish units with Berling and Wasilewska. After the mass murder of Polish officers in Katyn was revealed one month later, the Soviet Politbureau immediately ordered forming the Polish Army under political leadership of the Association of Polish Patriots (Związek Patriotów Polskich).

During the first gathering of the association, it was decided that the unit to be formed was an infantry division, under command of Lieutenant Colonel Zygmunt Berling. Colonel Bolesław Kieniewicz from the Red Army and Robert Satanowski, leader of a guerrilla unit from Volhnynia were also considered as divisional commanders.

After all issues regarding the new division were settled, Stalin agreed to form not only the Polish infantry division, but also an armoured regiment, a fighter squadron and other units that were to be the core of the Polish Armed Forces under Soviet command.

Sielce on the Oka River were designated as the staging area of the Polish division. On May 6, the Soviet National Defence Committee agreed to form

Fasowanie mundurów. 1 Armia Polska w ZSRR liczyła ponad 78 tys. żołnierzy. Strukturą i stanem liczebnym różniła się znacznie od sowieckich związków ogólnowojskowych

The soldiers are issued with uniforms. The 1st Polish Army in the Soviet Union was over 78 thousand men strong. However, with regards to its structure and strength it considerably differed from Soviet military units.

oraz Roberta Satanowskiego – dowódcę oddziału partyzanckiego z Wołynia).

Po uzgodnieniu sposobu rekrutacji, uzbrojenia i wyposażenia Dywizji, jej wyżywienia i umundurowania oraz przyrzeczeniu skierowania do Dywizji sowieckich oficerów, Stalin zdecydował się jeszcze raz przyjąć ppłk. Berlinga. Tym razem Stalin postanowił, że będzie tworzona nie tylko Dywizja piechoty, ale również pułk pancerny, eskadra myśliwska i inne jednostki. Tworzone oddziały miały więc stać się zalążkiem formowania polskich sił zbrojnych podległych dowództwu Armii Czerwonej.

Na rejon formowania polskiej Dywizji strona sowiecka wyznaczyła obóz w Sielcach nad Oką. 6 maja Państwowy Komitet Obrony ZSRR podjął polityczną decyzję o formowaniu 1 Dywizji Piechoty im. Tadeusza Kościuszki, o czym dwa dni później poinformowano w sowieckim radiu i prasie.

Okres organizowania Dywizji trwał do końca czerwca. W tym czasie utworzono jednostki, umundurowano, uzbrojono i wyposażono. Mimo usilnych starań aparatu oświatowego nie udało się przezwyciężyć zwątpienia, podejrzliwości i braku zaufania żołnierzy do sowieckiej kadry i działaczy lewicy. Przełomem w tych nastrojach było pojawienie się w obozie sieleckim ks. Wilhelma Kubsza oraz polska oprawa przysięgi złożonej w 533 rocznicę bitwy pod Grunwaldem, 15 lipca 1943 roku.

Wojsko rozwijało się dynamicznie. 10 sierpnia Stalin zgodził się na rozwinięcie Dywizji w korpus. Miał on się składać z dwóch Dywizji piechoty, dwóch brygad – artylerii i pancernej, dwóch pułków – lotniczego i zapasowego oraz licznych mniejszych jednostek. Dowódcą korpusu został Zygmunt Berling, mianowany 10 sierpnia generałem, a jego zastępcami – ppłk Włodzimierz Sokorski oraz gen. Karol Świerczewski.

▶ *Stefan Garwatowski,* **Lenino**

▶ *Stefan Garwatowski,* **Battle of Lenino**

the 1st Tadeusz Kościuszko Infantry Division. The decision was announced two days later on the radio and in the press.

Till June 1943 the division was formed. Despite being equipped and the effort of propaganda, Polish soldiers still did not trust the Soviets and the Polish leftist activists. Distrust ended only after the priest Wilhelm Kubsz arrived in Sielce and the Polish oath was taken on the 533rd anniversary of the battle of Grunwald. Moreover, on August 10, Stalin agreed to form a whole Polish corps consisting of two infantry divisions, one armoured brigade, one artillery brigade, one air regiment and one support regiment with several small detachment. On that same day Berling was promoted to general and given the command of the entire corps. Lieutenant Colonel Włodzimierz Sokorowski and General Karol Świerczewski were selected as his executive officers.

In the fall of 1943, the Soviet strategic objective was to cross the Dnepr River and prevent German forces from reinforcing their defences. Among the Soviet units to achieve that goal was the Polish 1st Tadeusz Kościuszko Infantry Division. It became a part of the Thirty-Third Army and was deployed to the front line on September 1. On September 7, General Berling was ordered to break through the German line between the place of Pozluchy and the hill 215.5. From there it was advance over the Pniewka River, through Losievko and Churilovo to finally reach Dnepr River. The Polish division of over 12,000 men was facing only three German battalions well dug in with developed defensive fieldworks.

On October 10, the 1st Battalion, 1st Regiment, conducted a combat reconnaissance sortie and approached 150 metres from the German lines. At 10.30 a.m. the main assault began. Despite fierce German resistance, the Polish division captured hill 215.5 and the place of Pozluchy. The German counterattack and the barrage stopped the Polish and Soviet advance.

By afternoon the Germans re-captured Pozluchy. During that same day General Berling ordered another attack, but the Polish forces failed to push the enemy back. By the end of the day the division broke through the German lines, but without taking Pozluchy and Trygubowa it could not complete its main objective.

Czołg średni T-34, *ciężar 30 ton, działo 76,2 mm, na uzbrojeniu 1 i 2 Pułku Czołgów przekształconych w 1 Brygadę Pancerną im. Bohaterów Westerplatte. Wyprodukowano w różnych wersjach w czasie II wojny światowej 45 tys. egzemplarzy*

The T-34 *medium tank, 30 t., armed with a 76.2 mm calibre gun. The 1st and 2nd tank regiments from which the 1st Bohaterów Westerplatte Armoured Brigade was then formed was armed with them. In time of the II World War over 45 thousand T-34 tanks (of various types) were produced.*

Jesienią 1943 r. strategicznym celem Armii Czerwonej było sforsowanie Dniepru, na którym dowództwo niemieckie chciało powstrzymać sowiecką ofensywę. Do walk na tzw. przedmościu orszańskim została skierowana 1 Dywizja Piechoty im. Tadeusza Kościuszki. Dywizja wyruszyła na front 1 września. Weszła w skład 33 Armii. 7 października gen. Berling otrzymał zadanie bojowe nacierania na głównym kierunku uderzenia armii i przełamania obrony nieprzyjaciela pomiędzy wsią Połzuchy a wzgórzem 215,5. Następnie miała kontynuować natarcie z rubieży Połzuchy, Trygubowa i wyjść nad rzekę Pniewkę, na koniec przez Łosiewko i Czuriłowo Dywizja powinna osiągnąć Dniepr.

Dywizja liczyła przeszło 12 tysięcy żołnierzy. Przed frontem Dywizji broniły się trzy bataliony niemieckie. System obrony, wcześniej przygotowany i rozbudowany, składał się ze schronów bojowych, rowów strzeleckich i łączących, przygotowanych w dogodnym do obrony terenie, jaki stanowiła zabagniona, trudno dostępna dolina Mierei oraz pagórkowaty pocięty jarami teren po zachodniej stronie doliny.

10 października nad ranem 1 batalion 1 pułku przeszedł do natarcia w celu rozpoznania walką. Przekroczył dolinę Mierei i zbliżył się na odległość 150 m do przedniego skraju obrony niemieckiej. O 10.30 Dywizja i jej sąsiedzi przeszli do właściwego natarcia. Niemcy stawiali zaciekły opór. Polacy w brawurowym ataku zajęli wzgórze 215,5, osiągnęli Połzuchy i podeszli pod Trygubową. Dalsze natarcie powstrzymały kontrataki i silny ogień nieprzyjaciela. Sąsiednie Dywizje wdały się w przewlekłe walki.

W godzinach popołudniowych Niemcy przeszli do kontrnatarcia i w końcu wyparli Polaków z Połzuch.

Przed wieczorem gen. Berling wydał pułkom I rzutu rozkaz wznowienia natarcia, ale sukcesu nie osiągnęły, pierwszy dzień walk zakończył się więc połowicznym rezultatem. Dywizja wdarła się na głębokość 2,5–4 km w głąb obrony wroga, ale bez zdobycia Połzuch i Trygubowej nie można było marzyć o zrealizowaniu postawionego zadania.

W nocy Niemcy ściągnęli posiłki. Na wiadomość, że naciera tu polska Dywizja, rozpoczęli akcję propagandową w języku polskim za pomocą megafonów i ulotek. Akcja ta przyniosła pewien skutek, gdyż zdezerterowali do Niemców niektórzy żoł-

In the night the German forces received reinforcements. Moreover, by using leaflets and audio propaganda in Polish language, the Germans managed to win some men from Silesia in the Red Army to their side.

On October 13, the 1st Tadeusz Kościuszko Infantry Division made the last attempt to complete its objectives, but due to the lack of cooperation with the Soviets it failed.

Sztandar 1 Dywizji Piechoty im. Tadeusza Kościuszki. Dywizja, niezależnie od jej znaczenia wojskowego, według zamierzeń Stalina i komunistów polskich miała odegrać ważną rolę polityczną

Banner of the 1st Tadeusz Kościuszko Infantry Division. Notwithstanding its military importance, the Stalin's and Polish Communist's intension was that it should play an important political role

nierze ze Śląska, ściągnięci do Dywizji z obozów jenieckich.

13 października rano Dywizja wznowiła natarcie, ale sukcesu nie osiągnęła, gdyż brakowało współdziałania ze strony sąsiadów.

Dywizja poniosła w bitwie ciężkie straty – 510 zabitych i 765 zaginionych. Bitwa pod Lenino była umiejętnie wykorzystana przez Stalina w czasie konferencji w Teheranie. Uzyskał on argument wzmacniający pozycję polskich komunistów w stosunku do rządu polskiego w Londynie i osłabienia jego roli w oczach aliantów.

Przyczółki nad Wisłą

W styczniu 1944 r. oddziały 1 Korpusu Polskiego zostały przegrupowane z obozu formowania na Smoleńszczyznę, gdzie stacjonowała 1 Dywizja. Pod koniec lutego i w marcu do korpusu trafiali poborowi i rezerwiści z Wołynia i Podola, w znacznym stopniu nastawieni nieufnie do radzieckiego sprzymierzeńca (4 stycznia Rosjanie przekroczyli granicę RP). Sytuację komplikowała obecność Ukraińskiej Powstańczej Armii na zajmowanych terenach, gdyż troska o zapewnienie bezpieczeństwa rodzinom stanowiła priorytet dla pochodzących stąd żołnierzy.

13 marca 1944 r. Stalin zdecydował się na rozwinięcie korpusu, liczącego w końcu tego miesiąca 40 tysięcy żołnierzy, w armię. Jednostki korpusu przegrupowywały się wówczas ze Smoleńszczyzny na Ukrainę, gdzie w Sumach utworzono ośrodek formowania. Przegrupowanie zakończyło się tragicznie dla jednego z transportów, zbombardowanego na stacji kolejowej Darnica.

1 Armię Polską marszałek Rokossowski postanowił wprowadzić do walki po sforsowaniu Bugu, a więc po zakończeniu zajmowania terenów, które miały przypaść ZSRR. Jako pierwsza udział w walce wzięła artyleria armii, która nad Turią wspierała natarcie jednostek radzieckich.

W ostatniej dekadzie lipca 1944 r. kończą się dzieje Polskich Sił Zbrojnych w ZSRR. 20 lipca w Moskwie powstał Polski Komitet Wyzwolenia Narodowego,

Generał Zygmunt Berling

General Zygmunt Berling

którego siedzibą został po paru dniach wyzwolony Lublin. Dzień później PKWN w imieniu Krajowej Rady Narodowej wydał dekret scalający Armię Polską w ZSRR (liczyła 78 tysięcy żołnierzy) i Armię Ludową w jednolite Wojsko Polskie.

26 lipca marszałek Rokossowski postanowił wprowadzić 1 Armię WP do pierwszego rzutu Frontu. Miała do 28 lipca zająć obronę nad Wisłą. Wkrótce armia otrzymała zadanie forsowania Wisły.

W pierwszym dniu forsowania – w nocy z 31 lipca na 1 sierpnia – do działań przystąpiła jedynie 2 Dywizja. Całkiem nie udało się forsowanie 8 kompanii 6 pułku, 2 kompania 5 pułku dotarła do wysp na Wiśle, niewielki sukces odnotowała jedynie 9 kompania 4 pułku w rejonie Góry Puławskiej. Wszędzie forsujące pododdziały poniosły duże straty.

W drugim dniu działały pododdziały 1 i 2 Dywizji. Do szczególnie tragicznych walk doszło w rejonie Dęblina. W ostatnich walkach, gdy Niemcy rozbili forsujące pododdziały 2 pułku, miał miejsce wyjątkowy przejaw bohaterstwa. O 11.50 radiotelegrafista 2 batalionu, Michał Okurzały, rodem z Podola, kierujący ogniem polskiej artylerii, nadał infor-

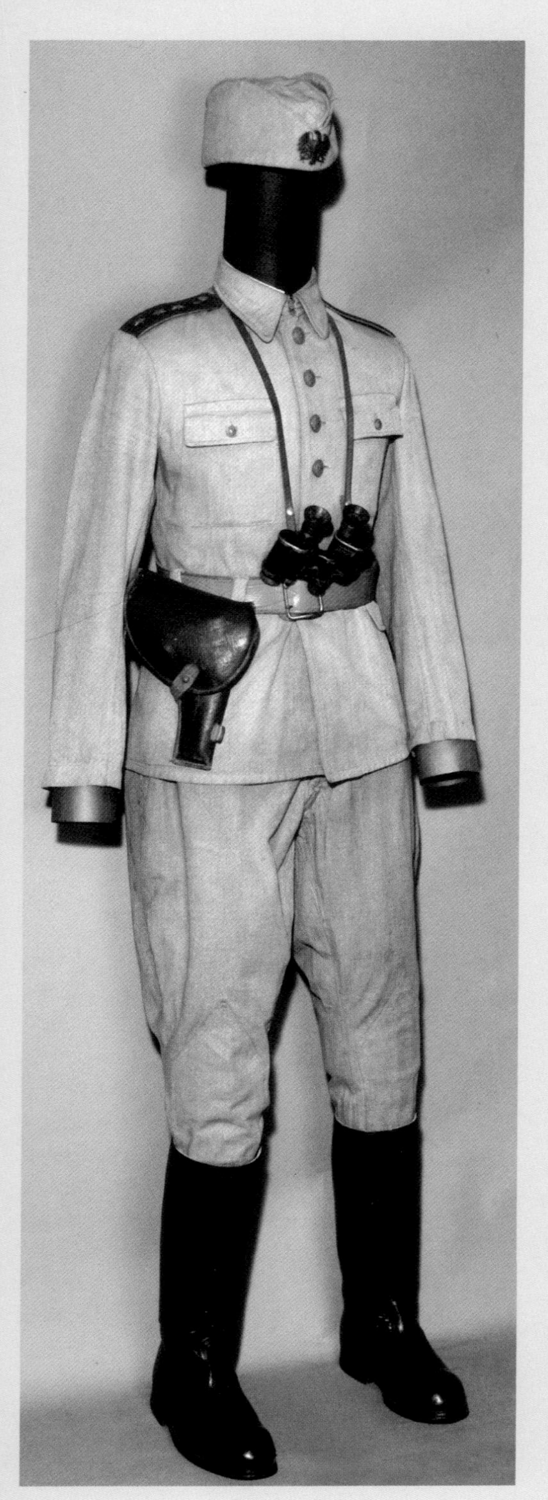

The battle of Lenino cost the division 510 killed and 765 missing. It became Stalin's argument during the Teheran Conference. The Polish communists became a counterbalance to the Polish government in London.

Vistula Bridgeheads

In January 1944, the Polish 1 Corps was sent to the Smolensk region. There it received new replacement from Podolia and Volhynia, who were distrustful of the Soviets. On January 4, the Red Army entered Poland. The situation was complicated by the Ukrainian Insurgent Army as the necessity of soldiers to provide security to their families became their main concern.

On March 13, 1944, Stalin decided to develop the Polish corps of 40,000 men into an army. The corps was therefore moved to Sumy, Ukraine, to be reinforced. While transferred, one of the Polish transports was bombed in railway station of Darnica.

The Polish First Army was intended by Marshal Rokossovsky to deploy again only after the Soviets secured former Polish territories. The army's artillery was the first to participate in combat, as it supported the Soviet advance over the Turia River.

July 1944 was the last month of the Polish Armed Forces in the Soviet Union. On July 20, 1944, the Polish Committee of National Liberation was established in Moscow and after a few days it moved in to the recently liberated Lublin. On the following day it declared the unification of the Polish Army of 78,000 men in Soviet Union and the People's Army into one Polish Army.

On July 26, Marshal Rokossovsky ordered the Polish First Army to join the main assault force. From July 28, it was to take positions along the Vistula River and soon the army was ordered to cross it.

In the night from July 31/August 1, only the 2nd division attempted to cross the river. The attempt

Mundur polowy oficera Armii Polskiej w ZSRR

Field uniform of an officer of the Polish Army in the Soviet Union. It was after Churchill's intervention that Polish units were evacuated from Russia.

mację: „Niemcy wychodzą na brzeg. Dajcie ogień artylerii na sam brzeg. Bijcie na mnie. Naszych już tu nie ma".

2 sierpnia ogólna sytuacja armii była niekorzystna. Wszystkie 9 prób utworzenia przyczółków nie powiodło się. Dopiero wówczas gen. Berling próbował zawęzić pas forsowania. Miała je prowadzić tylko 2 Dywizja. Nie przyniosło to jednak powodzenia – podjęte działania 3 sierpnia przez pododdziały 4, 5 i 6 pułku zostały zduszone przez artylerię wroga już w fazie początkowej. Ostatecznie już 3 sierpnia działania pod Dęblinem i Puławami zakończyły się niepowodzeniem.

W działaniach tych armia poniosła stratę 1443 żołnierzy poległych, rannych i zaginionych bez wieści. Jedyną korzyścią tych działań 1 Armii WP było zaabsorbowanie uwagi Niemców w pasie Dęblin–Puławy, którzy sądzili, że są to działania rozpoznawcze i za nimi wyjdzie główne uderzenie Frontu, co stworzyło korzystniejszą sytuację w pasie 8 i 69 Armii.

Na początku sierpnia niebezpieczna sytuacja wytworzyła się na przyczółku zajętym przez sowiecką 8 Armię. Dowództwo 1 Frontu Białoruskiego postanowiło skierować na przyczółek 1 Armię WP.

Przegrupowanie 1 Armii WP rozpoczęło się wieczorem 6 sierpnia. Nowy rejon główne siły osiągnęły 8 sierpnia rano. Na przyczółek pierwsze ruszyły czołgi 1 Brygady Pancernej gen. Jana Mierzycana. Polska brygada rozpoczęła przeprawę 9 sierpnia o 14.00 pod małą miejscowością Tarnów, promem zbudowanym z dwóch rzecznych barek. Przeprawa trwała około godziny. Jednorazowo prom zabierał dwa czołgi średnie T-34. Czas przeprawy przedłużały ataki niemieckiego lotnictwa. Cała brygada na przyczółku znalazła się o świcie 11 sierpnia.

Sytuacja na przyczółku mocno się skomplikowała. Podjęte 8 sierpnia drugie przeciwuderzenie doprowadziło do włamania się w obronę 4 Korpusu sowieckiego i opanowania Studzianek i Basinowa. Groziło w każdej chwili przerodzeniem się niemieckiego sukcesu z taktycznego w operacyjny. W tym trudnym dla obrońców przyczółka czasie zaczęły do walki wchodzić polskie czołgi. W tej sytuacji dowódca 4 Korpusu, gen. Głazunow, zmuszony został do nietypowego użycia polskich czołgów, a mianowicie wprowadzenia ich nie całością, lecz częściami prosto z przeprawy. Walki były wyjątkowo ciężkie i krwawe, ale przyniosły sukces. Niemieckie przeciwuderzenie zostało zatrzymane, a następnie odrzucone.

Walki obfitowały w wiele nieoczekiwanych wydarzeń. 3 kompania czołgów por. Rościsława Tarajmowicza wpadła w zasadzkę, tracąc trzy czołgi, a następnie dalsze. Walka tak się jednak rozwinęła, że z pozostałych trzech czołgów z kompanii jednemu pękła gąsienica. Ruszał akurat kolejny niemiecki kontratak. Do pomocy uszkodzonemu czołgowi pozostała załoga czołgu plut. Piotra Zarychty. Dwa polskie czołgi otworzyły ogień do niemieckich z niewielkiej odległości. Tym razem na polu walki pozostały cztery pojazdy niemieckie.

W wyniku trzydniowych walk, od 9 do 11 sierpnia, Niemcy przełamali obronę 4 Korpusu w rejonie Studzianek i Basinowa, w pasie 8 km i na głębokości 3–4 km, starając się wyprowadzić takie uderzenie, które sowiecko-polskie wojska odcięłoby od Wisły. Wprowadzenie jednak polskich czołgów umocniło obronę przyczółka. W walkach przeciwnik stracił 12 wozów bojowych i 6 transporterów opancerzonych.

12 sierpnia nastąpił przełom w walkach na korzyść strony sowiecko-polskiej, w dwa dni później część wojsk niemieckich, które się włamały, okrążono, a 15–16 sierpnia zlikwidowano.

1 Brygada odegrała ważną rolę w utrzymaniu przyczółka magnuszewskiego. W toku walk od 9 do 16 sierpnia Polacy zniszczyli 20 wozów pancernych, 9 transporterów oraz 21 dział i moździerzy. Ponadto zdobyli dwa niemieckie sztandary pułkowe. Sukces opłacili jednak sporymi stratami: 265 żołnierzy poległo, zostało rannych lub zaginęło bez wieści; utracono 28 czołgów.

Wybuch powstania w Warszawie oznaczał nową jakość w sytuacji frontowej nad Wisłą. Postawa Stalina w sierpniu jest dobrze znana i nie wymaga komentarza.

W pierwszej dekadzie września dowództwo 1 Frontu Białoruskiego postanowiło zniszczyć przedmoście niemieckie na wschodnim brzegu Wisły

Nad Wisłą

On the Vistula River

of the 8th Company, 6th Regiment, failed to reach the other bank, but the 2nd Company, 5th Regiment managed to reach the islands on the Vistula. The most successful unit of that day was the 9th Company, 4th Regiment, fighting near Gora Pulawska. All units that were trying to cross the river sustained heavy losses.

On the following day the 1st and 2nd Infantry Divisions were attempting to cross the Vistula. During that blood bath units of the 2nd Regiment were wiped out. Such was the scene of a heroic deed that happened then. At 11.50 a.m. a radio operator from the 2nd Battalion, Michał Okurzały from Podolia, who was directing Polish artillery fire broadcast: "The Germans are coming. Fire on the bank. Fire on my position. Our men are gone."

On August 2 the army did not advance. All nine attempts to cross the river failed. Only then General Berling ordered to shorten the line of attack. The 2nd Infantry Division was selected to lead another assault across the Vistula. Actions undertaken by the units of the 4th, 5th and 6th Regiments were stopped by enemy shelling on August 3. By the end of that day all attempts to cross the river near Deblin and Pulawy failed.

During those operations the Polish army's casualties reached 1,443 men killed, wounded and missing. The only positive aspect of the Polish failure was that the Germans focused on the Deblin – Pulawy area. Consequently, the Eighth and Sixty-Ninth Armies were able to establish bridgeheads on the Vistula River.

A critical situation on the Eighth Army's line forced the command of the 1st Belarussian Front to deploy the First Army to the area.

The transfer lasted till morning on August 8. Tanks from the 1st Armoured Regiment, under command of General Jan Mierzycan, were the first to head out to the new bridgehead. A crossing was set up near the town of Tarnow. On August 9, at 2 p.m. a makeshift ferry began to transport the tanks across the river. The ferry carrying only two T-34 tanks was the only way to transport the armour across the river. Due to the low speed of the ferry and constant German air strikes, the 1st Armoured Brigade transport

i wyzwolić Pragę. W składzie 47 Armii w centrum ugrupowania uderzeniowego miała nacierać 1 Dywizja piechoty. Weszła ona do pierwszego rzutu 125 Korpusu w nocy z 8 na 9 września. Dzień później wojska przeszły do natarcia i po pięciu dniach zaciętych walk zaczęły wychodzić na brzeg praski. Wszystkie mosty w Warszawie były zniszczone. Dywizja straciła 496 poległych.

Wyjście wojsk sowieckich i polskich nad Wisłę nie zmieniło wbrew oczekiwaniom sytuacji powstańców w Warszawie. Sowieckie dowództwo nie przewidziało natychmiastowej operacji desantowej. Decyzję o desancie gen. Berling podjął samowolnie i nie uzyskał wsparcia od jednostek sowieckich.

1 Armia WP liczyła wówczas 60 tys. żołnierzy, ale nie była dostatecznie wyposażona w środki przeprawowe.

Przeprawę na przyczółek pierwszej fali 1 batalionu 9 pułku, por. Sergiusza Kononkowa, na 15 pontonach NLP rozpoczęto w nocy z 15 na 16 września 1944 r. Przeprawa była dla nieprzyjaciela całkowitym zaskoczeniem. Ogień otworzył dopiero około 7.00, wówczas forsowanie trzeba było wstrzymać. Na przyczółku znalazło się 420 żołnierzy wraz z bronią zespołową oraz batalionową artylerią. Działania podjęte 16 września na przyczółku nie miały powodzenia.

W drugą noc forsowania – trwało ono od 22.00 do 5.00 – dysponowano 23 pontonami. Udało się zmontować dwa promy 9-tonowe. Łącznie przeprawiono 390 żołnierzy 3 batalionu 9 pułku wraz z uzbrojeniem batalionowym. Z przyczółka udało się ewakuować kilkudziesięciu rannych oraz grupę kobiet i dzieci. Próby podjęcia działań ofensywnych 17 września, podobnie jak w dniu poprzednim, nie miały powodzenia. Jednocześnie Niemcy zwiększyli nacisk na obrońców przyczółka.

17 września w 2 Dywizji przeprowadzono rozpoznanie, a w 1 Dywizji działania – obydwa przedsięwzięcia demonstracyjne nie miały powodzenia.

W trzecią noc forsowania każda próba odbicia środków przeprawowych od plaż na Saskiej Kępie wywoływała tak silny ogień wroga, że prawie uniemożliwiał on ruch na wodzie. Na przyczółek przeprawiono zaledwie 63 żołnierzy, 2 armatki 45 mm oraz nieco amunicji, żywności i lekarstw. Sytuacja na przyczółku czerniakowskim 18 września mocno się skomplikowała.

Z 17 na 18 września 2 Dywizja przeprawiła na żoliborski brzeg 78 żołnierzy. W rejonie zaś mostu Kierbedzia rozpoznanie prowadziła 1 Brygada Kawalerii. Również nieudane były działania 1 Dywizji w rejonie Siekierek.

18 września nieprzyjaciel od rana zdecydowanie wzmógł nacisk na przyczółek czerniakowski, dążąc do jego likwidacji. W szeregach niemieckich grup szturmowych pojawiło się więcej czołgów i samobieżnych min-pułapek, tzw. goliatów. Sytuacja obrońców przyczółka z godziny na godzinę stawała się coraz trudniejsza. W dniu tym, między 14.50 a 15.15, nastąpił zrzut zaopatrzenia dla powstańców dokonany przez lotnictwo amerykańskie.

Po trzech dniach forsowania stało się jasne, że w przypadku utrzymania dotychczasowego sposobu forsowania, może ono mieć charakter jedynie działań demonstracyjnych. Całkowicie minęło zaskoczenie. Przeciwnik był doskonale wstrzelany w przeprawę 3 Dywizji. Zdawał sobie z tego sprawę gen. Berling i w dniu następnym postanowił zmienić czas, miejsce, siły i sposób forsowania. Po raz pierwszy działanie miało być prowadzone w dzień, przy zastosowaniu zasłon dymnych, wsparte silną artylerią i lotnictwem. Oś przeprawy przeniesiono między mosty – Średnicowy i Poniatowskiego. Forsować miał 8 pułk piechoty. Następnie oba pułki – 9 i 8 – działając zbieżnie, miały utworzyć większy przyczółek. Działania demonstracyjne siłami do kompanii miały prowadzić: 2 Dywizja – z Pelcowizny na Żoliborz oraz 1 Dywizja – z Kępy Gocławskiej w kierunku Kępy Czerniakowskiej, a rozpoznanie plutonem – 1 Brygada Kawalerii, w rejonie ulicy Nowy Zjazd.

W czwartą noc forsowania, z 18 na 19 września, na przyczółek czerniakowski udało się przeprawić jedynie 4 działka 45 mm oraz niewielką ilość amunicji i żywności. W dzień zaś niemiecki nacisk spowodował znaczne zmniejszenie przyczółka i osłabienie możliwości zaczepnych jego obrońców. Natomiast większe powodzenie miało forsowanie 2 batalionu 6 pułku piechoty mjr. Juliana Szaciły. Na żoliborski

Rosyjski hełm **wz.1940**

The **RAC MK.II** *helmet of soldiers of armour troops*

was completed by down on August 11.

The situation on the bridgehead was difficult. The second German counterattack broke through the Soviet IV Corps and captured Studzianki and Basinowo. There was a threat of a decisive German victory. However, at that time the Polish tanks were already ferrying across the river and the Soviet CO of the IV Corps sent the Polish tanks into action only is small units. After heavy fighting the German lines were broken and the enemy was pushed back.

The following fighting resulted in some unexpected events. The 3rd Tank Company of Lieutenant Rościsław Tarajmowicz was ambushed and lost several vehicles. In one of the three remaining tanks a caterpillar broke down. Tank of sergeant Piotr Zarychta arrived to help, when a German attack was began. The two Polish tanks opened fire from a short distance and destroyed four German vehicles.

During the following three days the Germans managed to break through the Soviet IV Corps and re-capture Studzianki and Basinowo. They were intending to cut off the Polish and Soviet forces and destroy the bridgehead. During the fighting the German forces lost twelve tanks and six armoured personnel carriers, APC. On August 12, the Polish and Soviet forces finally managed to stop the German counterattack and till August 16 enemy units were destroyed.

The 1st Brigade played an important part in maintaining a bridgehead near Magnuszew. Till August 20 the unit destroyed twenty tanks, nine APCs, twenty-one artillery pieces and captured two regimental standards. It casualties reached 265 men and 28 tanks were lost.

The outbreak of the Warsaw Uprising created a new situation on the front by the Vistula River. But Stalin's attitude is well known and does not require any comments.

It was not until early September when the Forty-Seventh Army, First Belarussian Front, was ordered to destroy German forces on the east bank of the Vistula. The Polish 1st Infantry Division became a part of the C Corps. On September 10, the attack began and by the time it liberated Praga and reached the riverbank it lost 496 men. All bridges over the river were destroyed.

The Soviet presence on the other bank of the Vistula did not help the insurgent in Warsaw. The Soviet command did not anticipated an immediate crossing. The decision to cross the river and help the Polish freedom fighters was made arbitrarily by General Berling.

The Polish First Army had by that time 60,000 men, but lacked transporting equipment.

The first attempt to cross the Vistula began in the night from September 15/16. The 1st Battalion, 9th Regiment, crossed the river in fifteen pontoons, completely surprising the enemy. When the Germans opened fire at 7.00 a.m. the crossing was stopped. By that time 420 men with supporting teams and the field artillery landed on the west bank. Attempts to enlarge the bridgehead on September 16 were fruitless.

On the following night twenty-three pontoons and two makeshift ferries, capable of carrying 9 tons of workload, ferried 390 men of the 3rd Battalion, 9the Regiment, with supporting weapons till 5 a.m. on September 17.

On the third night enemy barrage prevented any major crossing operation. Only 63 men, two 45-milimetre guns and some supplies were ferried

brzeg przeprawiono 370 żołnierzy wraz z uzbrojeniem batalionowym. Żołnierzom 2 Dywizji nie udało się nawiązać łączności z powstańcami.

19 września bitwę 1 Armii o przyczółki rozpoczęło o 15.00 lotnictwo. Czterdzieści minut później chemicy zadymili praski brzeg, a artyleria wykonała krótkie, 10-minutowe uderzenie artyleryjskie. Wykorzystując zaskoczenie, o 16.45 1 batalion 8 pułku kpt. Włodzimierza Baranowskiego osiągnął warszawski brzeg. Następnie rozpoczął forsowanie 2 batalion, kpt. Włodzimierza Pleizera. Minęło jednak zaskoczenie i przeciwnik przeniósł ogień artylerii na nową oś. Około wpół do dziesiątej natężenie ognia wroga uniemożliwiło dalszą przeprawę. Na przyczółku między mostami znalazło się 873 żołnierzy wraz z uzbrojeniem batalionowym. Podjęte równocześnie z 8 pułkiem działania pododdziałów 1 Dywizji i 1 Brygady Kawalerii nie miały powodzenia.

Niemcy szybko ocenili, że przyczółek między mostami był groźny, ściągnęli więc natychmiast znaczne siły i uderzyli. Do północy opór 8 pułku został złamany.

Włodzimierz Bartoszewski, **Warszawa wyzwolona**

Włodzimierz Bartoszewski, **Warsaw Liberated**

Wobec załamania się walk 1 Armii o przyczółki oraz rosnących strat, w nocy z 19 na 20 września ppłk Jan Mazurkiewicz „Radosław" zaczął wycofywać kanałami na Mokotów znaczną część sił powstańczych, głównie rannych i bez broni.

Z 19 na 20 września do sztabu 1 Armii WP przybyła zza Wisły grupa oficerów łącznikowych komendanta Okręgu Warszawskiego AK, gen. Antoniego Chruściela, ps. „Monter". Pozwoliło to na nawiązanie łączności radiowej. Zaczęła ona jednak funkcjonować dopiero od 25 września.

19 września był szczytowym dniem wysiłku 1 Armii WP w walce o przyczółki w Warszawie. Kolejna doba bitwy miała już przebiegać pod znakiem zdecydowanej przewagi Niemców.

W piątą noc forsowania na przyczółek czerniakowski udało się jedynie dostarczyć nieco zaopatrzenia oraz ewakuować 150 rannych, natomiast na

to the bridgehead. The bridgehead in Czerniakow was under German attack.

In the night from September 17/18 only 78 men from the 2nd Infantry Division managed to reach the other riverbank. The 1st Cavalry Brigade conducted a reconnaissance sortie near the Kierbiedz bridge. Units of the 1st Infantry Division were stopped by the enemy near Siekierki.

On September 18, German forces launched an assault on the bridgehead in Czerniakow. German troops attacking the riverbank were supported by tanks and Goliath demolition vehicles. The situation of the Polish troops was becoming desperate. On that day between 2.50 – 3.15 p.m. the American air force dropped supplies for the insurgents.

After three days of crossing the river it was clear for the Polish command that a new crossing tactic was needed if the existing bridgehead was to be maintained. The element of surprise was gone and the enemy targeted the shore. General Berling aware of that decided that the crossings will be conducted in daylight under smoke cover and supported by air strikes and shelling. Area between the Srednicowy and Poniatowki bridges was designated as the landing place. The 8th Regiment was ordered to cross and with the following 9th Regiment it was to enlarge the bridgehead. Companies of the 2nd Infantry Division from Pelcowizna and the 1st Infantry Division were to conduct distracting operations.

During the forth night only four 45-milimetre guns and some food and ammo supplies were ferried to Czerniakow. The Germans were still attacking the bridgehead. The most successful Polish unit to cross the river was the 2nd Battalion, 6th Regiment, of Major Julian Szaciała. Three hundred seventy men with supporting weapons were ferried across the Vistula. Nevertheless, no contact with the insurgents was made.

On September 19, at 3 p.m. the air force began the battle of bridgeheads. At 3.45 p.m. chemists set up a smoke screen over the Praga shore and the artillery conducted a ten-minute pre-emptive shelling. Using the element of surprise, at 4.45 p.m. the 1st Battalion, 8th Regiment, of Captain Włodzimierz Baranowski landed on the west bank of the Vistula. However, the enemy was now aware of the attack and opened fire on the crossing of the 2nd Battalion of Captain Włodzimierz Pleizer. The barrage stopped all crossing attempts at 9.30 p.m. Till that time 873 men with supporting weapons were ferried. Actions undertaken simultaneously with the 8th Regiment by the 1st Cavalry Brigade, 1st Division, were unsuccessful.

The Germans quickly assessed the situation, gathered reinforcements and by midnight the bridgehead was destroyed.

Due to the lost battles on the bridgeheads and increasing losses, in the night from September 19/20, Lieutenant Colonel Jan "Radosław" Mazurkiewicz began to withdraw the wounded and unarmed insurgents through the sewers to Mokotow.

During the same night envoys of the commander of the Home Army in the Warsaw District, General Antoni "Monter" Chruściel, reached the east bank of the Vistula. Their meeting with the staff of the First Army enabled establishing radio communication with the insurgents. It started to work only on September 25.

September 19 was the peak of the Polish effort to maintain the bridgeheads. From that day on, the Germans were to prevail.

During the fifth night only some supplies were ferried to Czerniakow and 150 wounded were evacuated. Simultaneously, only 16 men and five 45-milimetre guns crossed the river to Zoliborz. Moreover, during that night radio communication was established with Lieutenant Colonel Mieczysław "Żywiciel" Niedzielski, the commander of insurgents in Zoliborz.

On September 20, the Germans launched an attack on the bridgeheads. Till evening the bridgehead in Czerniakow was nearly destroyed. Similar situations was on the Zoliborz bridgehead. During the night German forces were assaulting the last Polish positions. The First Belarussian Front did not support the First Army and the Polish Army was to weak to hold its own. On September 22, Marshal Rokossovsky ordered General Berling to withdraw his troops from the west bank of the Vistula.

rza, np. 1 Brygada Pancerna im. Bohaterów Westerplatte ruszyła w kierunku Zatoki Gdańskiej i uczestniczyła w walkach w Gdyni, Gdańsku i na Kępie Oksywskiej.

Graniczny słup polski nad Odrą

A Polish landmark at the Oder River

W kwietniu Wojsko Polskie wzięło udział w forsowaniu Odry i Nysy. 1 i 2 Armia liczyły wówczas 164 tysiące żołnierzy. W dniach 8–13 kwietnia 1 Armia wykonała przemarsz 200-kilometrowy znad Bałtyku nad Odrę. Nocą z 14 na 15 kwietnia jej lewe skrzydło przeprawiło się na przyczółek w rejonie Gozdowic. 16 kwietnia pułki 1 i 2 Dywizji sforsowały rzekę, a pułki 3 i 4 Dywizji rozwinęły natarcie z przyczółka.

W tym dniu Polacy przełamali pierwszą pozycję obrony niemieckiej. 18 kwietnia po zaciekłych walkach w międzyrzeczu został przełamany główny pas obrony, ale próby forsowania Starej Odry z marszu nie powiodły się. W nocy z 19 na 20 kwietnia Niemcy rozpoczęli odwrót w całym pasie działania armii.

2 Armia, sformowana w dużej mierze z żołnierzy Armii Krajowej, zajęła obronę nad Nysą nocą z 10 na 11 kwietnia. Na trzydziestokilometrowym odcinku działania armii nie było żadnych przyczółków, co niewątpliwie utrudniało działania polskich jednostek, które tu miały przejść chrzest bojowy. 16 kwietnia pod osłoną ognia i dymów bojowych piechota i czołgi przystąpiły do forsowania rzeki w bród. Saperzy zajęli się stawianiem mostów. Na głównym kierunku uderzenia Polacy wyszli nad rzekę Weisser Schöps, którą sforsowali 17 kwietnia. Zdobyte zostały miejscowości Niesky, Horka i rozpoczął się pościg za nieprzyjacielem, choć 10 Dywizja pozostawała jeszcze nad Nysą. 2 armia przełamała taktyczną strefę obrony, rozszerzyła wyłom, zagroziła okrążeniem siłom niemieckim w rejonie Muskauer Forst i zapoczątkowała pościg w kierunku Drezna.

W dniach od 18 do 29 kwietnia 2 Armia stoczyła bitwę pod Budziszynem, w ramach której odparła natarcie niemieckich związków pancernych Grupy Armii „Środek" feldmarszałka Schörnera, które z Czech i Sudetów usiłowały przebić się w kierunku Berlina. Uderzenie od południa na nacierające w kierunku zachodnim oddziały polskie wprowadziło sporo zamieszania. Niektóre jednostki 2 Armii zostały odcięte i okrążone, nacierający Niemcy połączyli się z oddziałami walczącymi w lasach Muskauer Forst i rozcięli ugrupowanie 2 Armii na dwie części. 25 kwietnia nieprzyjaciel odbił Budziszyn. Dopiero pod koniec miesiąca, gdy gen. Świerczewski skierował w wyłom

Michał Bylina, **Kołobrzeg**

of various calibres were fired. Wounded of the First Army were sent to ten hospitals neat the front and to nine other in Zlotow and Bydgoszcz.

After taking Kolobrzeg the Polish army was able to advance through the western Pomerania to the Szczecin Reservoir.

While the battle of Kolobrzeg was fought, Polish units participated in clearing other parts of Pomerania. For instance, the 1st Bohaterów Westerplatte Armoured Brigade headed for the Gdansk Gulf and fought in Gdynia, Gdansk and Kepa Oksywska.

In April the Polish Army was about to cross the Oder and Neisse rivers. The First and Second Armies headed for the Oder River. Till April 13 the First Army marched 200 kilometres and reached the river. During the night from April 14/15 the army's left wing, the 1st and 2nd Regiments, established a bridgehead near Gozdowice. The following 3rd and 4th Regiments launched an attack from the position.

On April 16, the first German defensive position was overrun. After heavy fighting on April 18, the main German defensive line was broken, but the attempts to cross the Old Oder failed. In the night from April 19/20 the German forces began withdraw along whole front line.

Meanwhile, on April 16, the Polish Second Army mainly consisting of troops from the Home Army took positions on the Neisse River. As no bridgeheads were established the baptism of fire seemed to be difficult. On April 16, under covering fire and with smoke screen, the infantry and armour forded the river. On the main line of advance, the Polish army forded the Weisser Schops River on the following day. After capturing the places of Niesky and Horka, the Second Army began its pursuit of the enemy. Without the 10th Division still over the Neisse, the army broke German defences and almost encircled the enemy near Muskauer Forst. Soon the Polish units were heading for Dresden.

During its advance on April 18, near Budziszyn, the Second Army encountered the German armoured units from the Army Group "Centre". Units commanded by Feldmarshal Schorner,

Kościuszkowcy pod Bramą Brandenburską

Soldiers of the Tadeusz Kościuszko Division in front of the Brandenburg Gate

oddziały polskie nacierające na kierunku drezdeńskim, niemieckie przeciwuderzenie wygasło.

2 Armia zakończyła swój szlak bojowy pod Melnikiem, na przedpolach Pragi, w dniu 10 maja.

Niewątpliwie prestiżowe znaczenie miał udział 1 Dywizji Piechoty i innych jednostek 1 Armii w szturmie Berlina. W bojach o miasto Polacy stracili 550 żołnierzy. 2 maja załoga Berlina kapitulowała.

Kilka dni później została podpisana bezwarunkowa kapitulacja Trzeciej Rzeszy na lądzie, morzu i w powietrzu.

* * *

Polski wysiłek militarny w końcowym okresie wojny mierzony jest liczbą 600 tysięcy żołnierzy Wojska Polskiego. Jeśli dodamy do tej liczby żołnierzy Września, żołnierzy podziemia i żołnierzy walczących w armiach sojuszniczych, możemy szacunkowo założyć, że przez szeregi walczących przewinęło się ponad 2,4 miliona Polaków.

Polska była w tej wojnie obiektem agresji. Uczestniczyła w wojnie w Europie od pierwszego do ostatniego dnia jej trwania. Do obrony swych najistotniejszych wartości narodowych i interesów państwowych rzuciła wszystko, czym dysponowała.

who was trying to reach Berlin, broke through the Polish lines and encircled some units. After linking up with other German units from the Muskauer Forst, the Army Group "Centre" cut the Polish army in half. It was only thanks to General Świerczewski, who commanded Polish reinforcements, that the German siege was raised on April 25.

The Second Army ended its combat trail in Mielnik near Prague on May 10.

The Polish First Army that had been advancing into enemy territory participated in the assault on Berlin. During that last action the Poles last 550 men. On May 2, Berlin surrendered. A few days later the Third Reich surrendered.

Polska flaga na stacji kolei podziemnej Tiergarten

Polish flag on a subway station of Tiergarten

***

In the last stage of the war the Polish Army consisted of about 600,000 men. With the number of Polish soldiers fighting in the September 1939 campaign, the Resistance and troops fighting by the Western Allies, it is estimated that Polish Armed Forces in World War II had 3,000,000 men.

In this war Poland was the target of aggression. It participated in the enforced war from the first to the last day of fighting in Europe. To defend its most precious national values and the most vital interests Poland used every means available.

421

Wkład militarny Polski w II wojnę światową

Polska była pierwszym obiektem zbrojnej agresji w II wojnie światowej i pierwsza przeciwstawiła się napaści: 1 września - Trzeciej Rzeszy, a od 17 września także Związku Radzieckiego. Opór Polski we wrześniu 1939 r. zapoczątkował proces tworzenia się koalicji antyfaszystowskiej, której Polska przez cały okres wojny była aktywnym uczestnikiem.

Na wysiłek zbrojny Polski w latach II wojny światowej złożyły się trzy elementy:

– obrona przed agresją niemiecką i następnie radziecką od 1 września do 6 października 1939 r.;

– walka w konspiracji;

– działania bojowe regularnych jednostek Wojska Polskiego na zachodzie i na wschodzie Europy, a także w płn. Afryce i Małej Azji oraz na Atlantyku.

Przewaga ilościowa i jakościowa koalicji antypolskiej nad Wojskiem Polskim sprawiła, że w samotnym starciu Polska nie miała szans. Mimo heroicznego wysiłku polskiego żołnierza klęska była nieuchronna. Przyniosła ona utratę niepodległości Polski i okupację. Państwo polskie jednak nie skapitulowało, a duch narodu nie został złamany. Walką zbrojną w kraju i poza jego granicami kierowały konstytucyjne władze Rzeczypospolitej, reprezentujące Polskę w gronie państw alianckich. Głównym ich celem było odtworzenie jednostek Wojska Polskiego u boku aliantów, by kontynuować walkę do zwycięskiego końca.

Z czasem na okupowanych ziemiach polskich ukształtowały się struktury Państwa Podziemnego z własnym aparatem władzy, administracją, sądownictwem, tajnym nauczaniem, a nade wszystko wojskiem. Polskie Państwo Podziemne było fenomenem w skali okupowanej Europy. W połowie 1944 r., w szczytowym okresie swej działalności polska konspiracja wojskowa skupiła przeszło 650 tys. żołnierzy, równocześnie prowadząc walkę podziemną w różnych formach - od sabotażu i dywersji po otwarte działania zbrojne. Największą bitwą żołnierzy polskiej konspiracji było Powstanie Warszawskie w 1944 r., które ze względu na zaangażowane siły i środki, czas trwania (63 dni) oraz poniesione straty przez obie strony nie ma odpowiednika w okupowanej Europie.

Jednym z wielu sukcesów polskich w latach II wojny światowej było rozpoznanie przez wywiad Armii Krajowej niemieckich przygotowań do produkcji rakiet V1 i V2. Bezcenne znaczenie dla aliantów miał również sukces polskich naukowców z polskiego ośrodka dekryptażu w rozpracowaniu i zbudowaniu repliki niemieckiej maszyny szyfrującej „Enigma". We wrześniu 1939 r. grupa dekryptażowa została ewakuowana z Polski. W późniejszym czasie ściśle współpracowała z Anglikami, którzy na podstawie osiągnięć polskich kryptologów zbudowali ośrodek nasłuchowo-dekryptażowy, do końca II wojny przechwytujący treść niemieckich depesz. Złamanie przez Polaków systemu szyfrowego „Enigmy" umożliwiło aliantom poznanie treści rozkazów i planów operacyjnych Niemców.

Oddział VI Sztabu Naczelnego Wodza współpracował z brytyjską agendą do spraw dywersji i sabotażu Special Operations Executive, organizując działalność konspiracyjną, m.in. przerzuty sprzętu, broni i ludzi do Polski.

Odtworzone, po przegranej w 1939 r., Wojsko Polskie we Francji w czerwcu 1940 r. liczyło ok. 85 tys. żołnierzy. Brali oni udział w obronie Francji i w bitwie pod Narwikiem. Po klęsce Francji i ewakuacji do Wielkiej Brytanii Wojsko Polskie liczyło już tylko ok. 27 tys. żołnierzy. Natychmiast przystąpiono do jego rozbudowy. Polskie Siły Powietrzne i Polska Marynarka Wojenna wzorowo wykonywały zadania powierzone przez dowództwo alianckie. Sławę zyskali polscy piloci walczący w bitwie powietrznej o Wielką Brytanię, którzy zniszczyli 203 samoloty Luftwaffe. Rok później Samodzielna Brygada Strzelców Karpackich wsławiła się walkami w obronie twierdzy Tobruk w płn. Afryce.

Najsilniejszym lądowym związkiem operacyjnym Polskich Sił Zbrojnych na Zachodzie był dowodzony przez gen. Władysława Andersa 2 Korpus Polski, który przeszedł szlak bojowy w składzie brytyjskiej 8 Armii od rzeki Sangro przez Monte Cassino, Apenin

Military contribution of Poland to World War II

Poland was the first object of armed aggression in world war II and was also the first to oppose the invasion: On September 1st – of the Third Reich, and from September 17th also of the Soviet Union.

Poland's resistance in September of 1939 started the process of formation of an anti-fascist coalition, of which Poland was an active participant throughout the entire war.

Three components have contributed to Poland's armed effort during the years of the Second World War:

– Active defence against the German and later the Soviet aggression from September 1st to October 6th of 1939;

– Fight in an underground conspiracy;

– Combative actions of regular units of the Polish Army in western and eastern Europe, as well as in north Africa and Asia Minor and on the Atlantic.

The quality- as well as quantity-wise superiority of the anti-Polish coalition over the Polish Army was the reason why in a lonely clash Poland stood no chance. Despite the heroic efforts of the Polish soldier defeat was inevitable. It brought along a loss of Poland's independence and an occupation. However, the Polish nation did not capitulate and the spirit of the people had not been broken. The armed resistance inside the country and outside its borders was directed by the constitutional government of the Republic of Poland that represented Poland among the allied countries. Their main goal was a recreation of the units of the Polish Army alongside the allies, in order to continue the fight until a victorious end.

In time, upon the occupied Polish territory there formed structures of an Underground State, with its own governing body, administration, court of justice, secret education system, and most important, an army. The Polish Underground State was a phenomenon on the scale of the occupied Europe. In mid-1944, at the height of its activity, the Polish military conspiracy had more than 650 thousand soldiers, simultaneously conducting an underground battle of all types – from sabotage and diversion to open armed conflicts. The biggest battle of the soldiers of the Polish underground was the Warsaw Uprising in 1944, which, due to scale of engagement of strength and resources, its duration (63 days) as well as the suffered casualties on both sides has no equivalent in the occupied Europe.

One of the many Polish successes during the years of World War II was the identification by Home Army intelligence of German preparations for a manufacture of V1 and V2 type missiles. Of priceless value to the allies was also the success of Polish scientists from the Polish Cipher Bureau in the decoding and construction of a replica of the German encrypting machine the "Enigma". In September of 1939 the deciphering group was evacuated from Poland. Later on it had cooperated closely with the British, who, on the basis of the achievements of Polish cryptologists, built a listening and decrypting post, intercepting the content of German telegrams until the end of the war. The breaking of the "Enigma" code system by Poles enabled the allies to learn the content of military orders and operational plans of the Germans.

The VI Division of the Headquarters of the Commander-in-Chief has cooperated with the British department of diversion and sabotage, the Special Operations Executive, as it organized conspiracy activities, such as transfers of equipment, arms and people into Poland.

Recreated in France, following a defeat of 1939, the Polish Army had 85 thousand soldiers in June of 1940. They participated in defending France and in the Battle of Narvik. After the fall of France and an evacuation to Great Britain the Polish Army had only about 27 thousand soldiers. Its reconstruction was immediately initiated. The Polish Air Force and Polish Navy with excellence carried out the assignments entrusted by the allied command. The Polish pilots have gained fame and glory for their air fight during the Battle for Britain as they destroyed 203 Luftwaffe plains. A year later, an independent Bri-

Emiliański, Ankonę do Bolonii w kwietniu 1945 r.

W okresie inwazji sprzymierzonych w Normandii w czerwcu 1944 r. w składzie wojsk alianckich działało polskie lotnictwo i marynarka wojenna. Pod koniec lipca ruszyła na kontynent 1 Dywizja Pancerna gen. Stanisława Maczka – najsilniejszy związek taktyczny Polskich Sił Zbrojnych na Zachodzie, który wsławił się w bitwie pod Falaise i Chambois udziałem w wyzwalaniu wielu miast Francji, Belgii i Holandii. Swój szlak bojowy dywizja zakończyła 6 maja 1945 r. zdobyciem niemieckiego portu Wilhelmshaven.

Drugi polski związek taktyczny walczący na froncie zachodnim w 1944 r. – 1 Samodzielna Brygada Spadochronowa gen. Stanisława Sosabowskiego, w dniach 18-26 września uczestniczyła w alianckiej operacji „Market-Garden".

Polskie jednostki lądowe i lotnicze na Zachodzie w latach 1939-1945 walczyły na trzech teatrach działań wojennych: północnoeuropejskim (1940 r.), zachodnioeuropejskim (w 1940 r. i w latach 1944-1945) oraz śródziemnomorskim (1940-1942 r. w Afryce Północnej i 1944-1945 r. we Włoszech). Polska Marynarka Wojenna operowała na morzach: Północnym, Norweskim i Arktycznym, na Oceanie Atlantyckim oraz na Morzu Śródziemnym z przyległymi akwenami. W końcowym okresie wojny Polskie Siły Zbrojne na Zachodzie liczyły ok. 200 tys. żołnierzy.

W maju 1943 r. komuniści polscy, przy poparciu Józefa Stalina, przystąpili do formowania oddziałów Wojska Polskiego na froncie wschodnim. Od połowy maja 1943 r. do połowy lipca 1944 r. Polskie Siły Zbrojne w ZSRR rozwinęły się do armii liczącej ponad 113 tys. żołnierzy. W końcu 1944 r. Wojsko Polskie na froncie wschodnim osiągnęło liczebność 300 tys. żołnierzy, zorganizowanych w dwóch armiach ogólnowojskowych z lotnictwem i bronią pancerną.

Wojsko Polskie na froncie wschodnim rozpoczęło swój szlak bojowy we wrześniu 1943 r., zakończyło zaś w maju 1945 r. na gruzach Berlina. Największą operacją Wojska Polskiego na ziemiach polskich, jaką prowadziło ono w II wojnie światowej po klęsce wrześniowej, było przełamanie Wału Pomorskiego przez 1 Armię w dniach 31 stycznia - 19 lutego 1945 r.

Wojsko Polskie, walczące wraz z Armią Czerwoną, w dniu zakończenia II wojny światowej w Europie było blisko 400 tys. liczącym się w koalicji antyhitlerowskiej sprzymierzeńcem.

Polski wysiłek militarny w końcowym okresie wojny mierzony jest udziałem blisko 600 tys. żołnierzy. Łącznie z żołnierzami wojska podziemnego różnych organizacji w okupowanym kraju w końcu wojny naród polski wystawił do walki potężną armię, liczącą 1,2 mln żołnierzy.

Dzięki wielkiemu wysiłkowi, dzięki ofiarom krwi przelanej na wszystkich frontach, polski wkład militarny w II wojnie światowej w Europie należy ocenić jako największy po wielkich mocarstwach, tj. Stanach Zjednoczonych, Związku Radzieckim i Wielkiej Brytanii. Mimo tego ogromnego wysiłku militarnego Polska była przedmiotem w grze mocarstw i po zakończeniu wojny nie miała poczucia, iż należy do grona zwycięzców.

gade of Strzelcy Karpaccy (Carpathian Rifle Brigade) became famous during the fighting in defence of the Tobruk stronghold in northern Africa.

The strongest land operations formation of the Polish Armed Forces in the West was the 2nd Polish Corps, commanded by General Wladyslaw Anders, which has covered the combat track, as part of the British 8th Army, from the river Sangro through Monte Cassino, Emilian Apennine, Ancona, to Bologna in April of 1945.

During the invasion of the allied forces in Normandy in June of 1944, the Polish air force and navy have operated within the allied armies. At the end of July, the 1st Armoured Division of General Stanislaw Maczek moved into the continent. It was the strongest tactical formation of Polish Armed Forces in the West, which has become famous during the battle of Falaise and Chambois, and for its participation in the liberation of many cities in France, Belgium and Holland. The Division has completed its combat track on May 6th 1945 with the conquest of the German port of Wilhelmshaven.

The second Polish tactical formation battling on the western front in 1944 – the 1st Polish Independent Parachute Brigade of General Stanislaw Sosabowski, has participated in the allied operation "Market-Garden" during September 18th to 26th.

During 1939-1945 Polish land and air units in the West have fought in three theatres of combat operations: northern European (1940), western European (1940 and during 1944-1945) as well as the Mediterranean (1940-1942 in North Africa and 1944-1945 in Italy). The Polish Navy operated on three seas: North, Norwegian and Arctic, on the Atlantic Ocean as well as on the Mediterranean Sea and its adjoining water regions. During the ending period of the war, Polish Armed Forces numbered about 200 000 soldiers.

In May of 1943 the Polish Communists, supported by Joseph Stalin, have started the formation of units of the Polish Army on the eastern front. From the middle of May of 1943 to mid-July of 1944 the Polish Armed Forces in USSR have developed into an army of over 113 thousand soldiers. By the end of 1944, the Polish Army on the eastern front numbered 300 thousand soldiers, organized into two general armies with air force and armoured units.

Polish Army on the eastern front began its combat track in September of 1943 and ended it in May of 1945 on the rubble of Berlin. The biggest military operation of the Polish Army on Polish territory, conducted by the Polish Army during World War II, after the September defeat, was the breaking of the Pomeranian Wall by the Army that took place from January 31st to February 19th, 1945.

The Polish Army, fighting alongside the Red Army, on the day when the Second World War ended in Europe was a 400 thousand-strong partner in the anti-Hitler coalition.

The Polish military effort during the ending period of the war may be measured with a participation of nearly 600 thousand soldiers. Together with the soldiers of the underground army, of the various organizations in the occupied country, by the end of the war the Polish nation has produced a huge army numbering 1200 thousand soldiers.

Thanks to the immense effort, the bloody sacrifices made on all fronts, the Polish military contribution in World War II in Europe should be view as the biggest, nest to the super-powers of the United States, Soviet Union and Great Britain. Despite such a huge military undertaking Poland was merely an object in the great game of the super-powers and, after the war ended, Poland did not have the feeling of being among the winners.

Spis treści

Table of contents

Przekład: Janusz Błaszczyk, Rafał Iwiński
Projekt okładki: Michał Bernaciak

Redaktorzy prowadzący: Zofia Gawryś, Krzysztof Paleski

Projekt i opracowanie graficzne: Dymitr Miłowanow

Korekta: Ewa Grabowska

W opracowaniu korzystano z dorobku historyków II wojny światowej, w tym z tekstów Andrzeja Chmielarza, Tadeusza Kondrackiego, Janusza Odziemkowskiego, Edwarda Pawłowskiego i Zbigniewa Wawra zamieszczonych w publikacji *Wojsko Polskie w II wojnie światowej* (Dom Wydawniczy Bellona 2005)

Zdjęcia:
Dymitr Miłowanow, Zbigniew Wawer, Maciej Skoczeń
i archiwum Muzeum Wojska Polskiego w Warszawie

Dom Wydawniczy Bellona prowadzi sprzedaż wysyłkową swoich książek za zaliczeniem pocztowym z 20-procentowym rabatem od ceny detalicznej.

Nasz adres: Dom Wydawniczy Bellona
00-844 Warszawa ul.Grzybowska 77
tel./fax: 652-27-01

Dział Wysyłki tel: 652-27-01 lub 45-70-306
www.ksiegarnia.bellona.pl
internet: WWW.@bellona.pl
e-mail: biuro@bellona.pl

ISBN 83-11-10163-9

MINISTERSTWO OBRONY NARODOWEJ
Rzeczypospolitej Polskiej

MINISTRY OF NATIONAL DEFENCE
Republic of Poland

www.wp.mil.pl

DEPARTAMENT WYCHOWANIA I PROMOCJI OBRONNOŚCI

EDUCATION AND PROMOTION OF DEFENCE DEPARTMENT

http://wojsko-polskie.pl